# 여자 서른 살, 귀촌했습니다.

김예진 지음

목차랍니다

# Chapter 1. 자연이 속삭이고

## 🥕 벌레손님

여름이 왔어요. 마을을 감싸는 산은 짙은 초록색으로 변하고, 온통 초록인 주변풍경이로군요. 가끔 더위라도 식히러 강가에 나가서 멱을 감고 싶은 요즘이에요. 여름이 오면서 부쩍 늘어난 것은 벌레 손님입니다. 창을 열면 자연이 바라보이는 방을 갖는 게 소원이었는데, 이곳에 와서 이루었지요. 도시에서는 수억을 주어도 보기 힘든 자연의 풍경이랍니다. 그러나 양(+)이 있으면 음(-)이 있는 법. 매일같이 벌레 손님들을 어떻게 처리해야 하는지가 고민인 일상이 되었죠. 낮에는 그래도 활동시간이니까 방에 들어온 손님들을 고이 플라스틱 컨테이너에 태워 밖으로 날려 보낼 수 있지만, 밤에 막 자려고 누울 때 들어오는 손님들이 참 난감하더군요. 알잖아요, 그때는 정말 일어나기 싫은 거.

처음에는 나방만! 들어오더니 이제는 말벌, 송충이, 지네, 청개구리, 거미까지 종류도 다양해졌어요. 다행이 저는 벌레를 무서워하지 않아서 들어와도 시큰둥하게 바라볼 뿐 저들이 하던 대로 내버려두긴 했지만 밤에 들어올 때는 걱정이 되더군요. 예전에는 벌레는 벌레, 나는 나 이렇게 이분법적으로 생각을 했었는데 이제는 그저 사물 대하듯 무심하게만은 바라볼 수가 없더라고요. 날갯짓을 퍼덕이는데, 윙윙 소리를 내며 밖으로 나가려 하는데 나 피곤하다고 잠을 청할 수는 없는 노오~릇.

이불을 펴고 자리에 누웠다가, 다시 불을 켜고 일어났죠. 플라스틱 컨테이너를 집어서 날아다니는 나방을 잡아 밖으로 날려 보내고, 뒤집어진 장수풍뎅이를 똑바로 세워주었죠. 좋아라 내 방에 들어올 땐 언제고 밖에 나갈 땐 뒤도 안 돌아보고 가더군요. 그 모습에 약간 섭섭해지려고 했어요.
'그럴거면 왜 들어왔어?'
밤마다 방에 들어온 몇 마리를 내보내주는 작업을 마친 후에 잠에 들죠. 그래도 아침에 일어나면 주변에 나방족들이 수북하답니다. 여름이 오면 참아야 하는 것. 벌레 식구들과도 잘 지내는 것이랍니다.

2012년 6월 14일

 **닭 돌보기**

요즘은 닭을 돌보고 있어요. 닭 관리(?)를 배정 받았을 때 속으로 약간은 두려워하고 있었죠. 닭을 무서워했거든요. 내가 살고 있는 작은 시골마을엔 닭과 고양이를 길러요. 고양이는 제법 주인을 알아보니까 기르는 맛이라는 게 있지만 닭은 그런 게 없더군요. 적어도 관리(?)라기 전엔 그렇게 생각했지요. 그래도 막상 담당하게 되니 얘네 들이 은근히 신경이 쓰이는 것 아니겠어요? 그래, 제가 두려워했던 것은 바로 이런 점이었죠. 누군가와 관계를 맺는다는 것은 그 만큼의 책임을 의미하는 것이니까요. 받는 것이 있으면 그만큼 줘야하는 것이 있고, 관계를 맺기 시작하면 그렇게 테니스공을 던지듯 상대방과 주고받아야 한다는 것이죠. 어떤 이는 이런 관계에 능숙할지도 모르죠.

어제는 비가 무척 많이 내렸어요. 닭장의 문이 열려있는 것이 신경 쓰여 글에 집중할 수 없었어요. 밖에 나가 문을 닫아 주고 싶은데 그럴 수 없는 형편이었거든요. 아침이 되자 밤새 얘들이 비는 안 맞고 잘 잤는지, 밥은 먹었는지 걱정이 되어 급하게 닭장으로 갔어요. 닭들은 변함없이 밖에 나와 서성이고 있더군요. 밖에 둔 모이를 닭장 안에 넣어 주었죠. 푸드득 소리를 내며 모이를 먹는 모습을 보니, 사랑스럽고 당분간 밖에 내어놓으면 안 되지만 또 내어놓고 싶고 그렇더군요.

2012년 여름이 오는 길목에

닭은 모정이 참 많은 동물이었다. 병아리를 알뜰살뜰하게 보살피고 하루 종일 옆에 끼고 데리고 다녔다. 하지만 마을에 있는 개들이나 고양이들이 항시 노리고 있어 안심할 수는 없었다. 몇 번 사람들의 제재가 있자 마을의 개들이나 고양이들은 조심을 했지만 이제는 산짐승들이 문제. 도시의 소음은 사람이나 자동차가 원인이지만 시골에서는 닭들이 거의 새벽 4시가 되면 울어대는 통에 자주 잠을 설쳤다.

# 🌱 화덕 만들기 워크숍

마을에서 어제 화덕 만들기 워크숍이 있었어요. 저희는 현재 화목 보일러를 쓰고 있는데 말 그대로 화목을 넣어 쓰는 보일러지요. 화덕 만들기 강사 분께서는 저희들이 쓰는 보일러가 화목 보일러 기계에서 품질은 좋지만 가격이 비싸고 생각보다 연료비가 많이 든다고 화덕 만드는 법을 배우면 생각보다 쉽게 불을 붙이고 화력도 굉장히 세다고 하시더군요.

잘나가는 직장을 그만두고 5년 전 부터 농촌생활을 하는 강사 분은 일찌감치 석유로 하는 생활은 오래 못가겠다는 생각이 들었다고 했어요. 금융권에서 오래 근무하시다보니 그런 흐름들이 보였다고 하는 군요. 그때부터 계속 손쉽게 만들 수 있는 화덕을 만들려 연구하다가 최근에 만들어 보급하기 시작했답니다. 저희들에게도 사람들에게 보급하라고 했어요. 돈이 문제가 아닌 사람들을 위해 일하고 그것을 자신의 일이라고 생각하는 그분을 보며 저도 더 열심히 글을 쓰고 좋은 글감을 찾기 위해 노력해야겠다고 다짐합니다.

추신: 나중에 마을에서 벽돌을 쌓아서 화덕을 만들었다. 그리고 매달 있었던 '전기없는 날' 행사 때 밥을 지어 먹었지. 불맛이 더해지니까 정말 맛있었는데, 좋은 기억으로 남아있다. 하지만 너무 귀찮으니까 한 달에 한 번으로 족하다는 생각을 했었다.

2011년 8월 20일

## 🌱 소나무의 슬픔

해마다 가을이 되면 전국의 많은 학교가 속리산 등지로 수학여행을 가지요. 올해도 마찬가지입니다. 벌써 우글우글 많은 아이들이 산 곳곳에 보입니다. 하지만 산의 입장에서는 어떠한가요. 산은 통곡하고 있습니다. 산은 울고 있습니다. 사람들이 내뿜는 부정적인 파장, 쓰레기, 소음 등으로 앓고 있다고요. 정 2품 소나무를 올려다보았어요. 그의 슬픔이 전해져 왔어요. 인간의 이기심 때문에 죽지도 살지도 못하는 정2품 소나무.

인간들은 벼슬을 내어 신령스러운 나무인양 그리고 저렇게 페인트칠을 해서라도 살리려고 하지만 나무의 입장에서 저렇게라도 살고 싶은 것이 자연의 이치일까 하는 생각이 들었어요. 한눈에 봐도 나무가 저렇게 힘들어 하고 저렇게 슬퍼하는 모습이 들어오는데 관광객들은 아무것도 모르고 사진을 찍어대고, 정부 관리자들은 천연기념물로 정해놓고 살리려고 애를 쓰지요. '살림'이란 진정한 살림이란 이런 것이 아니라고 생각해요. 나무의 입장에서는 자연스레 자연의 품으로 돌아가는 것이 가장 좋은 것이라 생각해요. 오늘 정 2품 소나무를 바라보며 나무와 함께 울다 왔답니다.

2010년 10월27일

## 🌱 읽고 있는 책

토트백에도 들어갈 크기에 가벼운 책, 심플한 초록색 표지 <경제성장이 안 되면 우리는 풍요롭지 못할 것인가/더글러스 러미스 저> 요즘 읽고 있는 책이에요. 지금의 우리들은 경제발전이라고 하면 "좋은 것" 이라고 생각하는 데 익숙해져 있습니다. 경제 지표가 올라가고, 돈을 많이 벌고...하지만 바꿔 생각해 보면 "좋은 것" 이란 자신이 어디를 기준에 두느냐에 따라 달라지는 것이지요. 도시의 녹색지가 사라지고 고층 건물들이 들어서는 모습을 보고 좋은 것이라고 생각하는 사람들은 파괴된 자연만큼 생태계의 순환이 정지되고 급기야 인간에게도 영향을 끼치게 된다는 사실을 '보지' 못하고 있는 것이지요.

일시적인 발전에 '잠시' 좋아할 순 있어도 자연을 파괴한 발전은 지속성은 없겠지요. 정부에서 떠들어 대는 경제 성장률 - 이것도 잘 살펴보면 우리들은 한 면만 바라보고 있음을 알 수 있습니다. 북반부 나라들의 발전은 남반구 나라들의 가난을 전제로 하는 것이라는 것을요. 부족한 자원을 남반구에서 싸게 구입해서 비싸게 파는 방식으로 부를 얻는 것. 한쪽을 희생해서 한쪽을 배불리 하는 것. 그것이 현재 경제 발전 논리입니다. 조금만 넓게 보세요. 교실에서 덩치 큰 아이가 다른 아이들을 희생해서 세력을 넓혀가는 것과 무슨 차이가 있는 지를요.

다함께 잘살고, 다함께 웃기 위해선 조금 덜 쓰고 정직하게 쓰고 살아가는 모든 것을 생각할 때 인 것 같아요. 더글러스 러미스는 자신의 저서에서 위에서 열거한 것들은 독자들에게 알려줍니다. 거대한 시장경제 앞에 인간이 할 수 있는 것은 별로 없어 보이지만 생활 속에서 실천 할 수 있는 것들을 행함으로써 이 세상은 변할 수 있다고 말이지요. 그래서 나는 오늘도 내가 할 수 있는 작은 일들을 찾아봅니다.

## 🥕 효소 담그기

요즘은 매일 산야초 작업 중입니다. 사실 5월이 제철인데 지금은 풀들이 약간 질겨질 때에요. 얼마 전에 짧은 팔을 입고 산야초 작업을 하는 바람에 오돌토돌 풀독이 올라 한동안 벅벅 긁어 대었죠. 6월의 속리산 둘레길 - 공기가 참 맛있다 - 라는 표현을 떠올리게 해 주었어요. 가슴을 펴고 숨을 쉬면 폐 한가득 들어차오는 자연의 숨, 숨을 쉬며 그들과 내가 한 공간에 살아 숨 쉬는 구나. 하는 것이 느껴졌습니다.

저와 몇몇 마을 사람들 일명 산야초 작업 조들은 한 포대씩 할당량을 받고 조그만 낫을 들고 둘레길 주변에서 풀을 뽑았습니다. 풀 뽑기 전의 조그마한 의식이 있습니다.
"풀들아, 낫으로 몸을 벨 거야. 몸이 많이 아프겠지.
미안해. 살살 할게. 지금은 아프겠지만 좋은 일에 쓸게.
지금까지 풀을 길러준 땅과, 하늘, 해님 그리고 비.
감사드립니다. 감사드립니다."

이렇게 마음속으로 기원 드리고 풀베기 작업을 시작하였죠.

시끄러운 도시 속에서는 어렵지만 조용한 곳에서는 정말 이렇게 내면의 소리에 상대가 반응하는 것이 느껴집니다. 아름다운 교감의 순간, 그렇게 몇 시간 동안 침묵 속에서 풀을 베고 휴식시간엔 가져온 산야초 발효액을 한잔 마시고 잠시 명상을 하기도 했습니다. 여기서 여러분께 드리는 팁~!

산야초 발효액 만드는 법

1. 산야초를 물에 깨끗이 씻는다.

2. 물기를 말린다. (하루정도 혹은 반나절)

3. 스텐대야에다가 산야초 한 움큼과 설탕을 비슷한 비율로 섞어서 버무린다.

4. 독에다가 차곡차곡 넣어준다. 끝~!

그런데요, 한주나 두주 후에 열어보면 냄새가 이상하기도 하고 썩은 것 같기도 한데 그때는 놀라지 말고 한번 맛을 본 다음에 어떤 느낌이 와요. 이거는 과정 중에 있어서 시큼한 냄새가 나는 것이다. 혹은 완전히 맛이 갔다. 저의 경험으로 말씀 드리면 웬만하면 다 살 수 있다! 입니다. 그 발효액들이 살려고 열심히 노력하거든요. 그때는 산에서 따온 산야초를 독에다가 계속 넣어주면 됩니다. 제가 제일 좋아하는 효소는 사과효소입니다. 얼마나 맛있는지.

효소가 익어가는 장독대들

##  매일을 새롭게

우리가 사는 이곳은 겉으로는 평화로운 시골 마을이지만 이곳에서 일어나는 일들은 다이나믹 합니다. 매일매일 다른 일상을 마주대하면 마음은 긴장되고 새로움을 찾아 눈을 이리저리 굴리게 됩니다. 지금은 비가 주룩주룩 아니 죽죽 내려서 언제 이런 날이 있었나 싶을 정도로 어둡지만요

며칠 전 숲속마을 우리들은 산야초를 따러 다들 모자 쓰고, 칼을 쥐고, 봉지 하나씩 옆에 차고 길을 나섰습니다. 그렇게 하고 서로를 쳐다보니 심마니 같다는 생각도 들더군요. 이번작업은 내년에 먹을 효소를 담그는 일. 일단 지천에 널린 쑥과, 민들레 그리고 여러 먹을 수 있는 들풀들을 따러 갔습니다. 우리가 흔히들 알고 있는 잡초는 사실 약초라고 해요. 민들에는 위장과 신장을 튼튼하게 하고 쑥은 우리나라

신화에 자주 등장하는 것처럼 민중들의 생활과 떼려야 뗄 수 없는 관계에 놓여있지요.

제가 딴 산야초를 바라보았어요. 처음에는 미안해서 살살 따려 했는데 나중에는 가위로 스스슥~ 그러나 너무 많이 잘라서 흙까지 드러나게 하는 행위는 하면 안 된다는 것을 알기에 줄기와 잎 부분만 잘랐습니다. 요것은 따온 쑥으로 만든 쑥버무리입니다. 저는 처음 먹어봤는데 맛이 쌉쌀하니 괜찮더군요.

쑥버무리 만드는 법을 소개합니다. :
멥쌀에 소금과 설탕을 섞고
물과 함께 쑥을 잘 섞어줍니다.
찜탕 기에 넣어서 익혀도 좋고
튀겨먹어도 맛있습니다.
제비꽃도 자주 보는 야생화인데요
서울에 살적에는 제비꽃이 어떻게 생겼는지 보지 못했어요.

그런데 여기 와서 보니 들풀이 예쁘다는 것을 알게 되었지요. 삶은 역시 넓게 경험해야 하는 법 제비꽃도 모른 채 살아갈 수도 있었잖아요 안 그래요? 제가 좋아하는 아기장독대도 어른 장독대 사이에 앙증맞게 놓여있어요. 이 장독대 안에는 우리들이 담군 산야초들이 숙성되고 있지요. 바로 효소가 만들어지는 과정입니다. 효소 담그는 법은 아주 쉬워요. 약초와 설탕을 1:1로 넣어주고 잘 재어 준 다음 독에 넣고 몇 달간 숙성시키면 식물의 액이 나오지요 - 그것은 각종 에센스가 농축된 것.

농축액을 물과 함께 타 먹으면 맛난 건강음료가 되요. 설탕이 너무 많이 들어가서 좋지 않다고도 하는데, 피곤할 때 마셔주면 저는 피로회복에 도움이 된 것을 느꼈답니다. 사과효소를 가장 좋아해요. 일부러 사과를 사서 해도 좋고 저희들은 음식 찌꺼기 중에 깨끗한 것은 효소로 담가 먹기도 해요. 후후후

## 🌱 이제는 제법

완전 초보 농사꾼이었던 제가 이제 제법 수확물을 걷어 들이게 되었습니다. 마구잡이로 씨를 뿌려서 옆의 잘 정리된 텃밭과 비교되던 저의 텃밭의 인증 샷을 넣어드립니다. 한두 달 쯤 지났을 까요? 순무들이 어느새 자라 빨간 무(뿌리라고 해야 하나요?)를 맺었습니다. 어제 저녁 식사 시간에 쌈과 함께 나와서 한 입 베어 먹었는데요. 아삭한 것이 어찌나 맛있든지! 아니 그것보다도 저의 손에서 그런 수확물

이 나왔다는 게 참으로 신기했어요. 이곳에서는 모든 것이 서툴러서 조금은 풀이 죽어있었거든요. 그런데 내가 기른 작물이 자라서 이렇게 밥상에 내어놓게 될 수 있게된 전 과정이 신기하고, 가게에서 아무 생각 없이 사 먹던 농산물이 실제로는 힘든 과정을 거쳐서 오는 것이라는 알게되니 농산물 가격이 공산품 가격보다 저렴한 것이 고마운 것이라는 생각을 했어요.

## 자연의 신비를 노래하다

땅 속에 생명의 씨앗을 넣고
내가 한 일이라고는 단지 매일 가서 인사하고
물을 줬을 뿐인데
그 자그마한 씨앗이 자라서
열매를 맺고 또 그 수확물을
다시 저에게 돌려주고

저는 아이를 낳아본 적은 없지만요
자식에 대한 부모마음이 이런 것일까?
하는 것을 식물을 기르면서 잠깐 맛보았던 것 같아요.
날씨가 추워지면 밭의 무들이 잘 있을까?
혹시 냉해라도 입지 않을까?
시들시들 하면 얘를 어떻게 하면 살릴 수 있을까?
이런 것들을 생각하게 되었지요.
하하하!

이제는 퇴비를 만들 생각입니다. 벌써 왕겨를 몇 포대 주문
했고요 계분과 함께 섞어서 한 트럭분의 퇴비를 만들어 올
봄, 여름 내내 쓰려고 합니다. 가슴이 두근두근 거리네요.
이렇게 밭을 가꾸다보니 어느새 친구도 생겼습니다. 이제
우리는 세 명이 되었지요.  친구도 더 늘어가고 세 명이 모
이니 본격적으로 뭔가를 해 볼 수 있게 되었습니다. 요즘은
서울에서도 텃밭 가꾸기가 유행이라고 들었습니다.

무엇이든 생명을 가꾸고 기르는 것은 좋다고 생각합니다.
자연과 하나 될 수 있고 교감할 수 있는 것. 다만, 인간뿐만
아니라 시야를 넓혀 세상을 바라보는 것이 땅에 태어난 우
리들의 권리이자 의무라는 생각이 들었습니다. 그럼에도 우
리는 자연과 너무 동 떨어져 살고 있었어요. 우리 마을의
마스코트 피망이의 자는 모습입니다.

사람처럼 자던 피망이....1년 정도 우리와 살다가 밤에 산짐승과 싸우다가 죽은 것으로 추정된다. 정들면 무섭다. 밤사이 사라졌는데 우리들은 읍내까지 피망이를 찾으러 나가고, 애니멀 커뮤니케이터에게도 연락했다. 애니멀 커뮤니케이터는 피망이가 죽은 것으로 보인다고 했고, 마을에서 사람들과 살면서 사랑을 많이 받았다고 고맙다고 했다.

## 🥕 우리는 '풋풋한' 초보 농사꾼

저는 노란 옥수수를 좋아하는 데 요즘은 찰옥수수만 보이더라고요. 왜 그런 건가요? 노란 옥수수가 먹고 싶어요. 어릴 때는 노랗고 아삭아삭한 옥수수도 많았던 것 같은데 이제는 죄다 찰옥수수종만 판매하는 것 같아요. 옥수수 모종을 들고 학교 앞을 바라보니 이렇게 장독대가 좌르르 장독들에는 각종 산야초가 발효되고 있어요.

산에서 난 쑥과 칡 그리고 설탕과 함께 몇 개월을 놔두면 맛있고 건강에 좋은 산야초가 되요. 옹기는 중국산과 한국산이 있는데 눈으로 보면 확실히 차이가 나요. 유액을 바르고 옹기가 금방 금이 가는 것이 중국산이고 우리나라 것은 소박해 보이지만 튼튼하고 금이 잘 안가요. 고온에서 구웠기 때문이지요.

이미 한번 먹고, 다시 먹는 거예요. 싱싱함이 느껴지지 않나요? 시장에 갈 필요 없이 매일 밭에서 딴 야채를 먹는 나. 하지만 몰래 과자도 많이 사먹는 나. ㅎ 여기는 제가 좋아하는 장소입니다. 아무도 오지 않고 자연과 오롯이 함께 할 수 있는 곳이라 좋아요. 마음을 열고 자연과 함께 있으면 자연이 나를 향해 마음을 열고 나를 사랑하는 것이 느껴지지요 저는 자연이 좋아요. 자연과 함께 있고 싶어요. 마을 안의 비닐하우스에서 기르는 각종 채소들. 토마토가 먹고 싶은데 언제쯤 따서 먹을 수 있을까...

맨 처음 시골 생활을 시작했을 때는 농사에 대해 아무것도 몰라서 겁을 내며 조심스레 작은 텃밭을 일구어 나갔습니다. 그러다가 한명 두 명 친구가 생기고 지금은 저희들 꽤 진지해 졌습니다. 한번 구경해 보실까요? 여기가 위에서 언급했던 저의 순무밭입니다.

아직 한 달도 안 된 것 같은데 쑥쑥 올라오는 순무들입니다. 씨앗 때부터 자랐는데 이렇게 올라오는 것을 보니 신기합니다. 생명의 신비라는 것이 또 이것을 처음 창조한 조물주님에 대해서도 말입니다. 아래 사진도 저의 순무입니다. 서양 순무인데 참, 수난의 시기를 겪고 이렇게 자랐죠.

옮겨심기를 세 번이나 하고 거의 죽을 뻔 했는데 생명이라
는 것은 고개가 숙여집니다. 스스로 내안의 불꽃을 피우고
열매를 맺고 우리 인간이 채소보다 나을게 있는가? 오히려
배워야 하는 것이 아닌가 하는 생각을 했어요.

모종을 심을 배양 판이 없어서 땅에다가 배양토를 깔고 그대로 심은 상추에요. 아가들이에요. 옆에 가면 싱그러운 에너지가 느껴지고 아가들이라서 그런지 조심스러워 지는 텃밭이에요.

여기는 토마토 밭인데요. ㅎㅎ 마을 친구의 발이 보이네요.

오늘은 여기에 지지대를 설치해 주었지요. 과일은 난이도가 높다고 하는데 저희들은 기대가 많답니다. 우리들의 최초열 매 밭이라서 더욱 흥분된 것 같아요. ^^

앞에 보이는 이것은 감자밭입니다. 아마추어 일지언정 저희들 심각합니다. 이것저것 열심히 심어보고 또 아니면 어쩔 수 없이 옮겨심기도 하고, 제 앞의 두 분은 퇴비를 만들고 있어요. 퇴비 만드는 것 어찌 보면 빵 만들기하고 비슷하더 군요. 재밌어요. 왕겨에다가, 계분뿌리고 등등 저는 구경만 했어요. (계분은 냄새가 지독해요. 다양한 거름 냄새를 맛 본 저는 시골을 지나칠 때 어느 밭에 무슨 거름을 뿌렸는 지 냄새로만 판별할 수 있어요)

시원해지는 느낌의 풍경 아닌가요? 밭일을 하다가 잠깐 허리를 들어 찍은 주변 풍경이에요. 봄의 산이 이렇게 아름다운지 세상에 태어나서 처음 알았습니다. 초록의 색깔이 그렇게 다양한지도요.

퇴비 만드는 모습입니다. 오른쪽의 여성은 브리짓이라고 남아공에서 온 아가씨이죠. 우리와 함께 공동체 생활을 하고 있어요.

여기는 제가 좋아하는 장소인데요. 이상하게 여기만 보면 어딘가 만화에 나오는 곳에 온 것 같은 기분이 들더라고요. 비닐하우스에 물 주러 갈 때 여기서 물을 길러 와요. 시원하고 투명하여 마음이 상쾌해 지는 그런 곳이에요.

지구도 인간처럼 하나의 생명체라고 해요. 그래서 인간의 몸처럼 위의 역할을 하는 곳, 폐의 역할을 하는 곳, 간의 역할을 하는 곳 이렇게 나라마다, 대륙마다 각자의 역할이 있다고 하더군요. 그런데 인간들이 지구를 하나의 생명체라 생각지 못하고 그저 물건처럼 생각해서 무분별하게 개발한 나머지 지구가 암이 곳곳에 퍼져 병든 상태라고 하는군요.

동식물이 멸종하는 속도도 무시무시하다고 하고요. 꿀벌들이 사라지는 속도도 엄청나다고 하네요. 그런데 가장 큰 이유가 인간들이 생명을 대하는 방식에 있다고 하니 지금이라도 땅으로 돌아가고 원래 자연의 사이클을 회복하는 일이 급선무라고 해요. 안 그러면 지구라는 한 배를 탄 우리들이 공멸하니까요.

2011년 5월 20일

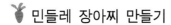 민들레 장아찌 만들기

제가 사는 이곳에는 노란 민들레가 곳곳에 피었어요.
점심 먹고 커피와 함께 앉아서 그 풍경을 바라보자면
마음이 절로 평화로워 지지요.

그저께는 함께 사는 분들과 가위, 장갑, 주머니 이렇게 들고
산야초를 따러 갔었습니다. 가위로 약초를 자르면서 마음이
아프더군요. 미안하다. 하고 좋은데 쓸게 하면서 쓱쓱 잘랐

습니다. 그래서 민들레가 한바구니 모이자 주방의 E씨가 민들레로 장아찌를 만들면 맛있다고 하더군요.

들에 핀 민들레 사진입니다. 어때요? 민들레가 뭐라고 말을 거는 것 같나요? 어제까지만 해도 이렇게 예쁘게 핀 민들레였는데 지금 날씨가 추워져서 아마 시들었을지도 몰라요. 인간들은 실내에서 이렇게 지내는데, 자연은 비바람이 몰아쳐도 꿋꿋이 이겨내죠. 존경스럽습니다.

이것은 제비꽃입니다. 돌 틈에 난 제비꽃이 참 신기해서 이렇게 찍었습니다. 사실 저는 제비꽃이 뭔지 몰랐어요. 이날 이때까지. 시골에 와서 알게 된 꽃이지요. 안도현 시인의 '제비꽃에 대하여'라는 시가 생각납니다.

그래서 만든 민들레 장아찌.

조려서 지금 햇볕에 말리는 중입니다. 멀리서 보니 사람 같기도 해요.

그리고 보니 식물은 빛의 존재라는 이야기를 어디선가 들은 것 같아요. '핀드혼 농장이야기'라는 책에서인가?
먹을수록 몸이 빛의 존재처럼 투명하고 정화된다고 하네요.

뭐랄까 자연은 이렇게 인간에게 베풀어주는데 인간은 하는 것이 없네요. 오히려 더 피폐하게 만들뿐. 이렇게 자연 속에 살게 해 주심에 이런 것들을 경험하게 해 주심에 감사드립니다.

<민들레장아찌 만들기>
일단 꽃이 피기 전에 잎을 따두면 연해서 먹기가 좋아요. 우리들은 뿌리째 따서 만들었는데 잎만 따도 될 것을 후회가 됩니다.

먼저 민들레를 깨끗이 씻어 줍니다.
물기를 말린 다음
간장, 식초, 효소, 설탕 이렇게 넣어서 담가줍니다.
그리고 이렇게 놔두었다가 한 달 후에 드시면
향긋한 봄 냄새를 계속 느끼실 수 있을 거예요.
민들레는 특히 위장과 신장에 좋다고 하니까
여성분들 중에 소화가 잘 안되고 허리가
자주 아픈 분들에게 좋을 것 같아요.
허리가 아픈 이유는 신장이 약해서 그럴 수도 있거든요.

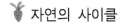 자연의 사이클

인간은 원래 초식을 하도록 만들어졌고 동물들은 인간의 친구의 역할이 있고 식물들도 사실은 감정을 다 느끼고 대화

할 수 있는 존재이며 식물이 인간과 동물에게 먹히고, 인간과 동물은 그것을 다시 "똥"의 상태로 자연에 배출하여 땅을 기름지게 하고 우리네 조상님들은 그 사이클을 아셔서 철저하게 지키셨다고 하는데 지금의 우리의 삶은 반대로 향해가고 있으니 브레이크를 걸어야 할 필요가 있다고 해요.

당장 도시를 떠나라는 이야기는 아닙니다. 그러나 텃밭 한 평이라도 가꾸어 보세요. 생명에 대한 생각이 달라지실 거예요.


2011년 4월의 어느 날


##  내게도 텃밭이!


2주전 비닐하우스 구석에 제 밭도 마련했습니다. 사실 태어나서 처음으로 텃밭을 가꾸는 거라 어떻게 해야 할지 막막했지요. 인터넷을 뒤져보니 많은 분들이 베란다에서 혹은 자투리땅을 이용해 텃밭을 일구고 계시더군요. 명색이 시골에 사는 데 이 정도는 해야 하지 않나 싶었습니다. 단순히 시골 공기가 좋아서 유유자적 하는 삶은 노우~!

흠, 일단 가지고 있던 씨앗 봉지가 눈에 띄네요.

바로 순무 그리고 얼마 전 장미꽃밭에 뿌리고 남은 계분까지 땅을 고르고 계분을 섞어서 평평하게 만든 다음 손가락으로 땅에다 구멍을 숭숭 냅니다. 그리고 순무 씨앗을 하나씩 - 사실 잘 안됩니다. 하나둘씩 구멍 안으로 쏘옥 집어넣고 땅을 덮습니다. 마음으로 '잘 자라라.' 이렇게 씨앗에게 말하면서 말이지요. 한 도반이 내게 전해 준 말입니다. 설거지 할 때는 물이 되어보고 씨앗을 심을 때는 씨앗이 되어보고 이렇게 되어보기를 해야 상대방의 마음을 알 수 있다고. (조금 삐뚤어진 마음으로 속 얘기를 하자면 그런다고 해서 제가 별로 달라지진 않더라고요)

씨앗 되어보기.
씨앗의 기분은 어떨까?
땅 속에서 잠을 자는 기분
그리고 밖으로 싹을 틔우고 나오는 기분
그들을 밀어내는 땅의 마음은 어떨까

이렇게 생각하니 하나하나 소중해 지는 아가들입니다. 흠흠. 그런데 아무리 물을 주고 매일 나가도 싹이 나질 않는 겁니다. 저는 걱정이 되기 시작했지요. 아아~ 내가 초보라 얘네들 혹시 죽은 거 아냐? 이일을 어째...옆밭은 저리도 잘 자라는 데 그런데 그저께 부터 하나 둘씩 발아하기 시작하더니 지금은 밭 가득 싹들이 슝슝 올라왔어요. 사진을 못 찍어서 그들의 모습을 못 올리는 게 아쉽지만 기분이 참 좋습니다. 그리고 참 신통방통하기도 하고요.

이번 여름에는 순무 샐러드를 도반들과 나눠 먹으려고요. 이탈리안 드레싱이나 레몬 드레싱을 해서 먹으면 참 맛있을 것 같아요. 그렇죠? 다음에는 순무 잎을 쏙아 줘야 하는데 섬세하게 하나씩 잘 쏙아 줘야겠죠? 사랑을 줘야 생명력이 커진다고 하니 매일 매일 찾아가 이야기도 하고 솎아주고 그렇게 키울 겁니다. 후첨하면 여름에는 옥수수를 길러서 따 먹었답니다. 거듭 하는 말이지만 그것도 너무 신기했어요. 모종을 사서 물도 제대로 안 주었는데 여름내 쑥쑥 자라서 열매를 맺고 이렇게 자라서 보답을 해주는 자연이 너무 고마웠어요. 그리고 미안했어요.

## 🌱 생명은 경이롭다.

얼마 전 우리 마을에 식구가 늘었어요. 암탉이 병아리 8마리를 낳았기 때문이죠. 병아리라 하면 어렸을 적 학교 앞에 병든 병아리를 한 박스 가져와 팔던 아저씨가 기억이 나요. 그 때 저도 병아리를 꽤 많이 입양했었죠.

병아리가 학교 앞에 오는 날이면 아이 들은 집에 가지 않고 모여 한참이나 병아리를 구경하다 호주머니에서 100원, 200원을 꺼내 병아리를 사서 갔죠. 지금 생각해보니 그 병든 병아리를, 고사리 손 아이들 돈 받고 파는 아저씨들이 나빴던 것 같아요. 그 병아리를 사는 아이들은 대부분 초등학교 1,2학년들이었죠. 누구든 이런 추억 하나쯤은 있나 봐요

모 가수 분의 '*아라 병아리'라는 노래까지 나온 걸 보면 말이죠. 하여튼 우리 마을에 태어난 병아리들은 그 병아리들과는 차원이 다르죠. 너무 자랑하나요? 후후.
단단한 갈퀴하며, 샛노란 털, 그리고 까맣게 살아있는 눈동자가 생기를 가득 담고 있어요. 인간이든, 동물이든, 곤충이

든, 엄마 품에서 자란 아이들은 달라요. 저렇게 위풍당당하고, 걱정 없어 보이는 표정은 학교 앞에서 산 병아리들에게는 결코 볼 수 없는 표정이죠. 엄마를 졸졸 따라다니는 모습을 보면 보고만 있어도 마음이 평화로워 지네요.

병아리가 태어난 지 일주일이 조금 넘었어요. 저들끼리 뭐라고 짹짹 거리며 돌아다니는 그들을 보고 있으면 생명의 경이로움에 생각하게 된답니다. 불과 몇 주 전만 해도 병아리들은 이 세상에 없던 존재들이죠. 이곳에 머물기 전에는 어디에 있었을까. 또는 무엇을 했을까. 이들도 세상에 태어나겠다고 자원했을까? 여기까지 생각이 이르면 병아리들의 생명을 하찮게 여길 수 없군요.

자연과 함께 하는 삶은 이래서 좋은가보다.
인간중심의 사고를 하다, 자연스레 나의 주변을 둘러싼
생명체에 대한 생각을 하게 되니까.
잎이 말라있는 식물을 보면, '아, 쟤가 목이마르구나.' 하고
생각하게 되고, 엄말 따라다니는 병아리를 보면, '역시 자식은 엄마가 키워야 하는 구나.'
하는 이치를 깨닫게 되고,
새들의 지저귀는 소리를 들으면서 새는 비둘기뿐만 아니라
다양한 새들이 있구나 하는 것을 알게 되죠.

'알면 사랑한다.'라는 말이 있어요.
아직 '사랑'까지라고는 자신 있게 말 못하지만
알게 되면 함부로 하지 못하게 되지요.
이해를 하기에. 사정을 알기에.
도시의 삶이 무조건 안 좋다. 라고는 말할 생각은 없어요.

어디서건 장점도 단점도 있는 것이니까.
다만, 단절된 삶은 무엇보다 자신에게 좋지 않은 것 같아요.

우선은 자기가 편할 수 있을지 몰라도
현대인들이 겪는 많은 정신병들의 원인은
모든 문제를 혼자 안고 해결해야 한다는 것 때문이 아닐까
싶기도 하고. 어디서건 소통을 할 수 있다면 많은 문제들이
한꺼번에 해결될 수 있을 텐데.
생명이 경이롭다는 생각을 하다 어째 여기까지 왔을까.
제가 말하고자 하는 바는 자기 속에 갇혀있던 시야를 넓히
면 다양한 생명들이 눈에 들어오고, 자신 뿐 아니라, 자신을
둘러싼 생명에 대해 자연스레 생각하게 된다는 것이에요.

어제는 제법 큰 비바람이 몰아쳤다.
집이 있는 나는 비바람을 피할 수 있지만
간밤에 앞산에서 지저귀던 새들은, 개구리들은, 밭에 심어둔
새싹들이 잘 있는지 염려가 되었다. 예전에는 한 번도 생각
지 못해봤던 것이다. 아침이 되었다. 어제와 똑같이 새는 지
저귀고, 개구리는 울어대고, 밭의 새싹들도 소실되지 않고
뿌리를 뻗어 비바람을 잘 견뎌주었다. 그렇다. 역시 생명은
경이롭다는 것을요.

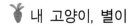 내 고양이, 별이

여기저기 고양이에 대한 블로그가 등장하고
고양이를 주제로 한 책들도 많이 출판되는 걸로 보아
우리나라에서도 고양이를 기르는 사람이 부쩍 늘었나보다.
나도 고양이를 기르기 전에는 개를 더 좋아했는데

고양이는 고양이대로 매력이 있더라.

일단 더 섬세하고 독립적이라 하루 종일 안 놀아주어도 되고 하얗게 보슬보슬한 털을 보면 내 마음도 그 귀여움에 너그러워지고, 이까지는 장점이고 고양이 기르는 것도 힘이 든다. 살아있는 것을 책임지고 기른다는 것은, 하여튼 용기를 필요로 한다.

고양이의 입장에서도 인간의 입장에서도 그래서 고양이 공동육아제도가 생기면 어떨까 싶다. 우리는 마을에 사니까 그게 가능한데 고양이 엄마 혹은 아빠 역할을 하는 사람은 있지만 함께 기르고 있으므로 밥시간이나, 퇴근해야할 시간(?)때 애들을 챙겨서 집에 넣어둔다. 한 사람이 계속 책임지고 보기엔 은근 어렵잖아 게다가 새로운 고양이들이 마을에 들어오거나 해서 개체수가 늘어나면 더욱 그렇다.

내가 사는 마을엔 고양이 네마리, 개 한마리, 여러 마리의 닭이 있다. 이렇게 많은 동물들을 접해본 적이 없는지라 동물에 대해 알아가는 재미도 쏠쏠하다. 좋은 것도 있고 아닌 것도 있고. 코코가 낳은 고양이 세마리 (별이, 소리, 고미) 애기 때는 몰랐는데 자랄 수록 이 셋의 성격이 분명하게 차이가 나는 걸 알 수 있다.

인간들하고는 별로 친하지 않지만 고양이 계에선 훈남인 소리는 우리가 다가가서 안아 주려 하면 도망가고 숨고 옆에 와서 치대지는 않지만 고양이들은 특히 암컷 고양이들은 별이 곁에 다가가면 여자친구같은 행동을 한다. 심지어 엄마인 코코까지도. 인간으로 치면 말 없고, 잘생기고, 독립심

강한 그런 성격이랄까....주변에 일어나는 상황에 좀 무신경해보이기도 하고 말이다.

반면 고미는 5월에 태어났는데 아직까지 엄마 젖을 수시로 먹는다. 사람을 보면 잘 따라오고, 친근감 있게 굴지만 엄마 곁을 절대로 떠나지 않고 잠시라도 떨어져 있으면 울고 애기 때는 사람을 좋아하는 줄 알았는데 그런 것보다는 의존적이고 외로움을 잘 타고 발육이 느리고 젖을 떼야 하는데 아직 애기 같다.

별이는 세 마리 중 유일한 암놈인데, 엄마를 능가하는 천연덕스러움, 식성, 애교를 겸비했다. 먹을 때 뿜어져 나오는 아우라가 장난 아니다. 그래서 나머지 두 마리가 겁을 집어먹고 하악질을 하는데 아랑곳 하지 않고 자기 먹을 것 먼저 먹고 나머지 두 마리가 먹으려 치면 자기는 다 먹었다고 장난을 거는데, 고양이 입장에선 너무 거칠게 장난을 걸어 두 마리는 싸움을 거는 걸로 착각할 정도이다.

사람에게 잘 안기고 털도 보드랍고 암컷이라 사랑스러운 느낌이다. 풍기는 분위기가 살랑살랑이다. 좀 놀란게 여러 사람이 있을 때 꼭 중앙자리로 와서 주목을 받으려 한다는 점이다. 다른 고양이들은 사람을 피하거나 혼자만의 시간을 좋아하는데 별이는 사람의 주목을 받는 것을 좋아한다. 잠시라도 사람이 없으면 방바닥에 응가나 쉬를 해서 화가 났다는 것을 표시하고....동물을 기른 적이 처음이라 동물에 대해 알아가는 게 재밌기도 한데 신기하기도 하고 참, 동물 때문에 내가 자존심 상하기도 하다. 가끔 내가 하인이고 쟤들이 상전이라는 생각이 든다. 원래 고양이를 기르면 그런가???

별이 아기 때, 품안에서 자곤 했다. 그리운 그 시절. 존재만으로 위로가 외었던.

### 🥕 고마워요, 엄마, 미안해요, 엄마 그 이름 지구

20살 때에는 몰랐지만
30이 되어서야 알게 된 것이 있어요.
집에서 바리바리 싸온 엄마가 가져온 반찬들
국거리 그리고 야채
사랑이 없으면 그 멀리서 가져 올 수 없는 것이라는 것을.

20대에는 귀찮고 무겁게 왜 저런 것을 싸오는지 이해할 수 없었던 엄마 그만 가지고 오라고 해도 배낭에다 멸치볶음, 야채볶음, 된장국이며 얼린 생선이며 사왔던 엄마. 서울에서 도 사 먹을 수 있는 것들이죠.

'차라리 용돈을 보내주지.'하고 생각했던 저였어요. 서른이 되니, 그런 것들이 돈으로 살 수 없었던 엄마의 사랑임을

조금씩 느껴요. 세상에 태어나 무엇 하나 진실로 남에게 베
푼 적이 없었던 저.
엄마의 사랑.
그리고 아빠의 사랑.
가족의 사랑이 나에게는 과분한 것이 아닌가.
하는 생각을 이제야 조금씩 하게 됩니다.

누구에게나 엄마가 있지만
그래서 흔한 것이 아닌
그 만큼 나는 사랑을 받는 존재라는 것이다
이 세상의 모두가 엄마가 있다는 것이
기적 같은 일이 아니겠는가하고요.
나에게 몸을 빌어주고
낳아주고
키워준 엄마
가는 날까지 걱정인 것이 자식

그리고 나에게는 또 하나의 엄마가 있습니다.
이 세상의 모든 자식들의 엄마이자
이 세상 모든 엄마들의 엄마인 그녀
그녀는 바로 지구라고요. 우리가 살고 있는 이 지구별.
태초의 태동이 일고
그녀의 몸 위에 조그마한 생물체들이 태어나기 시작했다

그 생물체들은 엄마의 젖과 꿀을 먹고
고등생물체로 자라났어요.
엄마는 자식들의 재롱을 또 배움을 기뻐하고
그들을 위해 숨을 들이쉬고 내쉬고
그렇게 자식들 키워온 지구.

자식이 크면 부모를 봉양하듯이
지구 어머니도 언젠가는 그녀의 자식들이
자라 그녀의 진화를 기원 해주리라 믿었겠죠.
그렇게 세월을 흘렀고
지구 어머니는 자신의 마지막 남은 에너지를
자식들에게 쏟아 붓는다.
미처 자신의 몸이 치유되기도 전에
자식은 서로를 사랑하지 못하고
어머니의 몸 위에서 서로 싸우고
그들의 동생들은 보호받지 못하고 죽어간다.
모두가 사실은 한 형제임을 잊고
선을 긋고 마음을 닫고는 자신만을 생각하는 괴물이 되어간
다 그것이 바로 인간.

어린 시절, 아무런 걱정 없이 머물 수 있었던 어머니의 품
안. 그때 우리들은 서로의 눈과 눈을 마주 하며
깊은 교감을 나누었었는데

엄마가 내가 되고
내가 엄마가 되는 그런 사이
변한 것이 있다면 그것은 누구일까.
자식을 자신의 몸보다 사랑하는 어머니.
나의 어머니.
그리고 지구 어머니.

자식의 성장을 보고 기뻐하고
자식이 해 달라는 것은 다 주고 싶은 어머니지만
이제 그 어머니는 생명을 다하고
마지막으로 자식들에게 호소한다.
하지만 그 목소리는 어머니 자신을 위한 목소리가 아닙니다. 끝까지….자식들을 보호하고픈 어머니의 목소리 입니다.

이대로 가다가는
내가 죽는 것은 그렇다 쳐도
바로 너희들이 죽게 된다. 하고 말이지요.
지구라는 별에서 배움을 얻고
꽃을 피우기 위해 각자의 하늘로부터 온 지구의 자식들.
지구 어머니는 하늘로부터 온 씨앗을 품어 우리들을
이렇게 키워왔지요.

하늘이 보낸 소중하고도 소중한 우리 아기..

9개월간 아기를 품듯이 영혼의 단계에서부터
가슴으로 품어온 지구의 자식들
지구의 어머니는 그렇게 우리들과
마음과 마음으로
영혼과 영혼으로 이어져 있다는 생각이 들어요.

아픈 몸을 이끌고 된장국이며, 제철 야채, 생선을 싸와서는
밖에 음식 먹이지 않으려 하는 엄마의 마음.
아픈 몸을 이끌고 당신의 자식들에게 당신 자신의 걱정보다
는 이대로 가다간 바로 우리들이 죽게 된다고 울고 있는
지구. 지구는 우리들의 '어머니' 라고 생각해요.

미안해요 엄마.
사랑해요 엄마.
그 이름, 지구

2011년 6월

믿을 수 없는 그림 실력. 진심으로 내가 그렸다. ㅎㅎ

시골에 살면서 좋았던 점은 자연을 마음껏 실컷 볼 수 있었다는 것이다. 나는 바다를 좋아했는데 나중에는 바다가 있는 마을로 이사를 와서 나만의 비밀장소도 찾고, 이곳에서 혼자 수영한 적도 있다. 자연은 바라보는 것과는 달리 늘 아름답게만 다가오지는 않았다.

자전거를 타고 가며 매일 보던 풍경. 가을에는 이렇게 끝없이 논이 펼쳐진 이곳을 지나쳤다. 비가 오면 비가 오는 대로 그대로 맞으면서 이런 풍경을 바라보며 참으로 외로웠고 울기도 많이 울었다. 멀리서 보면 목가적인 풍경일지 몰라도 자연은 때로는 어머니처럼 다가오지만 무자비한 날씨 앞에서는 인간이 속수무책임을 느낀적도 많다. 지금도 그 생각은 변치 않다. 자연은 평소에는 가만히 있는 것처럼 느껴져서 존재감을 모르지만 언제나 우리를 지켜보고 있음을 느낄 때가 있다. 그리고 평소와 다름없이 자신의 할 일을 할 뿐이지만 우리는 그 뜻을 헤아리지 못할 때가 많다. 자연의 정화작용은 언제나 옳다. 우리는 자연에 순응하는 법을 익혀야 한다.

탁 트인 풍경을 보면 낮에 있었던 일도, 이런저런 마음을 아프게 했던 일도 잊어버리고 새 날을 다짐할 수 있었다. 꽃도 많고 바다도 많고 유자도 많았던 남도의 풍경.

화장품이나 비누를 스스로 만들고, 주변에 선물도 했다. 처음에는 용돈벌이라도 해 보려고 시작했지만 수요가 없어 나와 주변인들 선물용도로 만들었는데, 재료가 얼마 들어가지 않았는데도 피부가 좋아져서 놀랐다. 로션은 물과 올리브 오일로도 충분했고 비누도 내가 원하는 재료를 아낌없이 넣어서 만들다보니, 주변사람들 피부가 많이 좋아졌다. 이제는 법이 바뀌어 선물로 줄 수가 없어 혼자만 쓰고 있다. 내 손으로 무언가를 만들어 쓴다는 것이 기쁨을 주는 일인지 몰랐다. 내 손으로 비누를, 로션을, 샴푸를 만들어 쓰니 무언가 작은 뿌듯함이 마음에서 차오르는 것이다. 그리고 생각보다 만드는 방법도 어렵지 않았다. 창조의 기쁨, 그것은 인간이라면 당연히 누려야 할 권리이다.

이 바다에서 혼자 수영하는 기쁨은 아무도 모른다. 아무도 찾지 않는 마을과 멀리 떨어진 바다. 나는 이 바다 이름도 모른다. 가끔 찾아오면 흔한 낚시꾼도 없고 사람도 없어서 혼자 들어가서 수영을 했었다. 물도 얕고, 물색도 옥빛에 가까워서 참 좋아했던 바다. 발포만과 가까웠던 것 같은데. 발포만이면 임진왜란의 그 발포만, 이순신 선인의 초임지에서 얼마 떨어지지 않은 곳이었다.

🌱 Chapter 2. 세상이 반짝 일 때

# 🐰 산악인 엄홍길님과 아이를 구한 개 사이의 공통점은?

오늘자 인터넷 신문에선 두 가지 감동을 선물로 주더군요.
첫 번째 선물은 산악인 엄홍길님에 관한 이야기입니다.
'엄홍길 유언'이라고 해서 깜짝 놀라 기사를 살펴보니
모 방송프로그램에서 에베레스트 등정 당시 가족에게 남긴
유언을 공개했다는 내용이었어요.

이분에 관해서는 종종 미디어를 통해 듣습니다. 말로 아닌
행동으로 보여주는 이 분에게서 사람들은 감동을 받습니다.
사람의 마음을 움직이는 것은 우주를 움직이는 것만큼 힘이
드는 일이라고 합니다. 요즘처럼 말만 무성한 때 몸에서 뿜
어져 나오는 그 무엇으로 가르침을 주는 이 분 엄홍길 대
장입니다.

인간이 가진 한계에 도전하면서
자연을 정복하는 것이 아닌
자연에 겸손해야 함을 보여주는 그
그가 만난 산은 산과 인간이 함께 만나 일군 쾌거 아닐까
요. 자연과 인간이 하나 되는 순간 사람들은 정복했다! 라고
표현하지만 정작 산악인들은 정복이 아닌 '만남' 이라고 생
각할 것 입니다. 사람으로서는 다다를 수 없다고 생각했던
신의 경지. 신의 마음 상태가 되어야만 허락되는 정상. 이런

분이 있기에 우리는 하루를 살아가는 힘을 얻고 또 나의 현재 모습을 되돌아보기도 합니다.

두 번째 소식은 영하의 숲에서 길을 잃은 아이를 구한 개에 대한 소식입니다. 폴란드에서 있었던 일이라고 하는데요. 3살 여자아이가 숲에서 길을 잃었다고 합니다. 물에 젖은 상태로 아무것도 먹지 못한 상태에서 3살 아이가 밤새 견디는 것은 힘든 일인데 아마 개가 한시라도 아이 곁은 떠나지 않고 따뜻하게 해 주었지 않을 까 싶은데요.

두 소식에는 공통점이 있습니다.
"종"의 한계를 뛰어넘었다. - 라는 것입니다.
한 사람은 인간의 한계를 개는 동물의 한계를 넘어 그 무엇을 보여주었다는 것입니다. 인간의 초월적 의지와 동물의 차원을 넘어선 사랑 이런 소식에 고맙습니다.

2013년 3월

마을에는 때때로 강아지나 고양이가 흘러들어왔다. 사람들이 산 속에 강아지를 유기하는 경우도 자주 있어, 그런 강아지들이 배가고파서 우리 마을에 들어오기도 했고 길고양이가 들어와 잠시 함께 살기도 했다. 아니면 인터넷 공고를 보고 유기견을 입양한 적도 있다. 한 번 친해지면 조건을 따지지 않고 계산하지 않고 인간에게 다가오는 동물들 때문에 마음이 치유가 되었다. 하지만 나를 심하게 경계하거나 밥을 주는 사람과 아닌 사람을 차별할 때에는 얘네들에게 선택받지 못한 서러움?도 있더라. ㅋ

##  소수라는 것은 아름다운 것

점심시간 때였죠. 마침 티비에서는 축구선수 정대세에 대한 프로그램이 나오고 있었어요. 그는 일본에서 한국인 부모님에게서 태어난 사람이었는데 조총련계 학교를 다녔다고 해요. 그런 그가 자라 J리그에서 축구선수로 활약하다 북한대표팀에 발탁되어 2010년 북한대표로 월드컵에 출전했었는데요. 그때 그가 흘린 눈물은 월드컵 10대 사진에 실렸을 정도인데 우리나라의 공중파 프로그램에서 그를 만나러 갔지요.

이를 보며 새삼 세월의 흐름이 무상함을 느꼈어요.
내가 오히려 시대를 거슬러 살고 있었구나 하는 것을 알게 되었죠. 북한이라고 하면 그 어감이 주는 딱딱함과 긴장감 때문에 굳이 생각해보려 하지 않았던 주제였어요. 제가 어렸을 적만 해도 이따금씩 반공 포스터와 표어를 과제 제출로 내야했던 시절이었거든요. 그런데 이렇게 공중파에서 그를 인정해주고 찾아가 그가 겪었던 여러 가지 편견과 어려움을 노출시키는 것을 보면서 우리나라도 사상적으로 많이 자유로워 졌음을 느꼈어요.

정대세. 복합의 인물. 일본에서 태어나 일본인의 정서를 가졌으면서, 한국국적을 가졌고, 북한선수로 뛰었던 인물. 조금은 특이한 이력 탓에 그는 자라면서 이런저런 편견으로부터 자신을 보호해야 했을 터. 그가 축구를 선택한 것에는 아마 자신의 배경 또한 어느 정도 작용하지 않았을까? 하는 생각이 들었어요. 스포츠에서는 실력이 중요하니까. 스포츠의 세계에선 차별이 덜하니까. 이런 사람들이 존경스러워요.

소수자의 위치에 있으면서

여러 가지 문화를 받아들일 수 있는 역량이 되는 인물.
처음에는 약자의 위치에 있겠지만
이런 소수자들이 편견을 극복하고 내면의 아픔을 겪어내면
이들의 힘은 상당하다는 것을요.
소수자의 입장을 대변할 수 있을 뿐만 아니라
다수를 배척하지 않고 끌어안을 수 있는 사랑 또한 갖고
있기 때문이죠.

정대세라는 사람은 개인으로 존재하지만 그가 가진 의미는
다양하다고 생각해요. 자신의 이력 때문에 오히려 자유로워
질 수 있다는 것을. 국경으로부터, 나라로부터, 구별로부터.
저는 태어난 나라가 있고 부모님도 조부모님도 모두 이 땅
에서 태어났기 때문에 한국인이라는 정체성이 강하지만
그는 북한사람이 될 수도, 남한 사람이 될 수도 또 일본인
이 될 수도, 그렇게 국적에 얽매이지 않고 자신의 선택에
따라 자신이 되고 싶은 사람이 될 수 있다고 생각해요.

소수라는 것. 그것은 아름다운 것이다.
나만이 가질 수 있는 것이라 생각해요.
그래서 더욱 빛이 나겠죠.
소수자에게 박수를.
그들의 용기에 감탄을.

2012년 6월


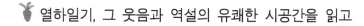 열하일기, 그 웃음과 역설의 유쾌한 시공간을 읽고

<열하일기, 웃음과 역설의 유쾌한 시공간>이란 책을 읽고 있어요. 몇 번을 봐도 참으로 재미나요. 연암박지원에 대해 이렇게 생생하고 요즘 언어로 잘 표현한 작가(고미숙님)도 드물 것 같아요. 예전에는 '조선시대에 천재 작가가 있었군, 연암 박지원이라는 분이 대단하구나.' 정도로만 생각했을 뿐이었죠.

그런데 이 책을 읽으며 백탑파 6인방 (박지원, 박제가, 이서구, 백동수, 홍대용, 이덕무)이 마치 제 옆에 살아 움직이는 사람으로 존재하는 것 같더군요. 역시 글을 쓰려면 그 만큼 인물에 동화되어야 하는 법.

작가의 힘이 대단합니다.
이 책을 읽고 있노라면 천재들끼리의 만남은 문화를 낳고 '시대를 움직이는 역동성이 있구나.' 라는 것을 알게 되고 그들과의 만남에 나도 끼고 싶은 욕구를 주체할 수 없고 천재들이 가져야 했던 울분을 느끼게 되어 가슴이 아팠고 시대를 날려 보낼 수도 있었던 천재가 제대로 재능을 펼쳐 보지 못하고 쓸쓸히 중년을 맞이하고 그렇게 세월을 보내는 현실이 안타깝고 그럼에도 자신의 삶을 유머로 승화시킬 수 있었던 그분들의 배짱에 감탄했답니다.

백탑주변에 모여 있었을 초가집들이 마치 제가 살고 있는 동네처럼 친근하게 와 닿더군요. 몇 백 년 전의 일이지만 현재를 살고 있는 나에게도 낯설지 않아요. 시공을 초월해서 친구가 된다는 것은 이런 말이구나. 시공을 초월해서 친구가 될 수 있다면 세상의 모든 것들이 일장춘몽이라고 하지만 참으로 아까운 사람들이 많았다는 생각이 들었어요. 연암 박지원, 이쯤 되면 국민아이돌이라 하지 않으리. 멋있습니다.

2012년 4월

 남도의 봄

남쪽이라 그런지 봄이 일찍 찾아오는 것 같다. 자그마한 동백나무에는 분홍빛 봉오리가 한창이고 붉게 핀 동백꽃 몇송이가 더러 보인다. 오늘도 산책길에 예쁜 동백꽃을 한참이나 바라보다 발걸음을 재빨리 옮겼다. 예쁜 걸 보면 손이 가고 손이가면 소유하고 싶어 그 마음을 조절하기 위해 얼른 발걸음을 옮겼다. 있는 그대로 놔둘 것은 한 송이 뽑아서 집에 가져가고 싶었기 때문이다.


논둑길을 거닐다가
포르르 소리에 시선을 주니
참새떼들이 화르르 날아올라
자기네들끼리 무리지어 옆 논둑에 앉더라.
부드러운 갈색빛의 참새떼들을 보고 있으려니
'아유, 너희들은 또 너희들대로 사는구나'

하는 생각에 미소가 슬며시 스며나왔다.

주변을 둘러보니

산도있고

바다도 있고

참새도 있고

까마귀도 있고

집도 있고

무덤도 있고

제비꽃도 있고 양지천도 있고

그렇게 함께 살고 있구나....

우리 식구구나....

 이게 머선 129?

시골에서 살고 있다.

내가 살고 있는 **리에서 읍내까지 가는 버스는 한 시간에 한 대 뿐이라 행여 놓치면 한 시간 동안 기다려야한다. 처음엔 적응이 안 되었지만 지금은 알아서 척척, 시간계산 대기 & 동네 아줌마들하고 수다도 떨며 한 시간에 한대인 상황을 잘 적응해가고 있다.

시골에 와서 제일 놀란 것은 아줌마들 옷차림 & 머리스타일 너무 똑같아서 길 아래에서 분명 인사하고 헤어졌는데 길 위에 또 같은 아줌마가 서 있어서 '이 마을....뭐지?' 하고 공포스러운 분위기마저 연출이 되었는데 버스를 타며 곧 알게되었다. 같은 머리스탈, 옷차림을 한 아줌마가 마을에 최소 열 두 분은 넘는다는 것을 ㅋㅋㅋ

대략 이런 느낌이겠다.

시골버스 3

그제도 읍내에서 **리로 가는 버스를 탔는데 비슷한 얼굴에 헤어스타일을 한 할머니들께서 여럿 타고 계셨다. 나보다 한 정거장 앞에 살고 있는 *할아버지도. (*할아버지는 눈이 안 보이신다) 창밖을 보면 꽃은 아직 안 폈지만 새싹이 여기저기 올라오고, 봄 특유의 나른한 느낌이 나면서 이제 봄이구나...라는 생각을 했다. 시골 살이의 좋은 점은 사시사철 계절의 변화를 잘 느낄 수 있다는 점이다.

이윽고 * 할아버지가 내릴 때가 되자 아줌마들이 자발적으로 *할아버지가 내리는 걸 도와주신다. 나도 가방을 덜어드리고 버스는 아저씨가 내려서 길을 걸어갈 수 있을 때까지 멈춰있었다. 이럴 때 속으로 난 훈훈함을 느낀다. 도시에서 느낄 수 없었던 '우린 서로 연결되어 있다는 그런 마음이 든다.

덕분에 *할아버진 읍내에 나갈 때 별 걱정을 하지 않는다. 버스 타면 동네 친구들이 으레 몇 분 계시기 마련이고 집까지 잘 갈 수 있도록 데려다 주시기 때문이다. 다음 정거장은 내가 내릴 차례이다. 기사 아저씨에게 요구르트 한 병을 건네고 내린다. 아저씨, 씽긋 웃는다. 다 안다는 듯이...^^ 이런 것이 시골 살이의 소소한 즐거움이다.

 오늘의 명상: 생긴대로 산다

지난 일 중에 후회가 되는 것도 있어요.
조금만 더 잘할 걸.
하지만 지난 일은 후회 해 봤자
현재에서 변할 수 있는 것은 없어요.
그래서 마음으로 버리고
현재에 집중하는 수 밖에 없어요.
왜? 내가 변화시킬 수 있는 것은
현재 밖에 없으니까요.
그리고....과거에 내가 더 잘할 수 있었을까?
그건 또 아니더라고요.
왜? 사람은 생긴대로 살거든요.
내가 더 잘했을 것 같은 느낌이 들어도

다시 돌아가면 똑같았을 거예요.

생긴대로 행동하니까.

그런 의미에서 너무 미련 갖지 말고

나에 대해 자책할 필요도 없고

기대할 필요도 없고

있는 그대로를 받아들이자고요.

그런 연습도 성숙해지는 과정이더라고요.


## 🌱 리더십에 관하여

신문에 난 자본주의 4.0에 관한 기사를 보았어요. 페르손 스웨덴 전 총리에 대한 이야기였는데 그 분의 말이 인상 깊었답니다. 사실 이 분에 대해선 그리 아는 바가 없지만 그가 한 말이 마음에 남았기에 적어보려 합니다.

"나는 미움 받는 지도자였다. 그러나 재선에 성공했다. 국민이 나를 좋아하지 않았지만 내가 추진한 정책을 존중했기 때문이다."

그는 입국 인터뷰에서 리더는 사랑이 아니라 존경을 받아야 한다고 말을 했는데 그 말이 인상 깊었답니다. 그 이유는 뭔가를 창조해야 하는 사람들이 중요하게 생각하는 게 바로 소통과 공감이더군요. 그러다 보면 자연히 상대방의 감정이나 의견을 중요하게 생각하는데 뭐랄까 관계를 중요하게 된다고 할까 그러다보니 상대방에 휙~ 쏠려가는 경우가 왕왕 생기기 때문이지요.

그런데 만약 리더가 된다면 이런 태도는 약간 변형이 와야 하지 않을까? 어떻게 하는 것인지는 잘 모르겠지만 일단 기본 목표가 있으면 거기로 향하고 그것을 이루는 것이 중요하므로 과정에서 목표 없이 휩쓸리는 것은 옳지 않은 것 같아요. 물론 화합이라든지 소통은 상당히 중요한 문제이기도 하지만요. 결국은 둘 다 균형을 이루는 것이 앞으로의 우리들이 만들어야 할 세상의 모습이 아닐까 싶어요.

글의 시작은 정치인이 나왔으나 말하고자 하는 바는 결국 내 삶에 있어서 태도를 말하는 것이에요. 친구의 역할로의 나 때로는 이끄는 사람으로서의 나 선배로의 나, 나라는 개인은 개인으로 존재하지만 사람은 다양한 역할을 해야 하지요. 그렇게 인생의 경험을 풍부하게 하는 것이 우리가 살아가는 이유 아닐까? 하고 생각해요. 그래서 세상을 떠날 때쯤 풍부한 경험을 안고 아름다운 열매를 맺는 것 그것이 세상에 태어난 이유라고 생각해요.

태어나고 갈 때에도 빈손이지만
경험은 그 누구도 가져갈 수 없는 것이니까요.
그렇지만 하루하루를 산다는 건 힘든 일입니다.
여러분도 파이팅!

2012년 3월

# 🐰 고양이는 성격이 다르다

코코와 고미에 대해 말하려고 한다. 고미는 코코의 아들이다. 코코는 세 마리를 낳았는데 한 마리는 입양되고 다른 한 마리는 짝을 찾아 어느 날 사라졌고 고미는 모솔(이라고 추정됨) ㅋㅋ

코코는 암컷인데 생긴것부터 (지금은 많이 아줌마스러워졌지만)도도한게 아주 독립심이 강하다. 그리고 마을 사람이 모여 코코 얘기를 하면 귀신같이 알아듣더라. 자기에 대해서 뭐라고 하는 걸 듣기 싫어하는 코코는 우리가 코코~~~~~코코~~~~~뭐라고 하면 딱 쳐다봤다가 흥! 하는 느낌으로 돌아선다.

정말로 흥! 하는 느낌이다. ^^;
암컷이라 그런지 남자들이 다가가면 이 녀석 갑자기 얌전해지고 털을 만져도 가만히 있는데 여자들이 다가가면 먹을 걸 줄 때 제외하고는 그닥 내켜하지 않는 눈빛이다. 가끔식 밤에 마실 다녀오는데 아마도 남자친구 만나러 다녀오는 것이리라....

고미는 먹을 것을 좋아하고 막내라서 그런지 어떻게 사랑받을지를 잘 아는 녀석이다. 가만히 있다가 우리가 지나가면 갑자기 불쌍한 척을 한다. 그러다 캔을 열면 코를 킁킁 거리면서 따라오는데....동물에 대한 사랑표현은 먹이로 표현되는 거라고 누가 그러더라.

한 번은 밖에 나갔다 집에 오는데 잘 다가오지 않는 코코 녀석이 갑자기 내가 있는 숙소쪽으로 오는 게 아닌가! 오랜만에 그 녀석이 다가오기에 무척 기뻐했는데 쓰다듬어도 별 반응이 없고 눈이 이따만해져서는 뭔가를 찾는 느낌이었다.

"이 사람이 분명히 뭔가 있는데....."

나중에 알고 보니 내 가방 안에 과메기 말린 것 한 마리가 남아있더라 ㅠ 그럼 그렇지 날 보고 싶어 오는 게 아니었어.

고양이들....참 헷갈릴 때가 있다. 지나가면 칭얼대서 놀아달라는 줄 알고 마음을 열고 다가가면 번번이 거절당한다. 그럴 때는 나도 모르게 상처...입는다. 그런데 왜 칭얼거리지? 다가가면 도망갈 거면서?

왜 왜 왜????

전형적인 코리안숏헤어인 코코와 고미 중성화수술을 하러갔더니 길거리 고양이들이 불쌍해서 데려온 건줄 알고 수의사님이 중성화수술비를 깍아

주셨다. 이래봐도 집고양인데.

## 🌱 로봇과도 공존하는 삶이 온다면

주말동안 <이브의 시간> 이라는 만화영화를 보았습니다.
요시후라 야스히로 감독의 2010년도 일본 영화인데요
미래의 일본을 배경으로 안드로이드와 인간이 함께 살아가
는 이야깁니다.

언뜻 보기에는 깔끔한 그림체와
여자 안드로이드와 남자 인간이 함께 나오는
포스터 때문에 안드로이드와 인간의 사랑이야기 인가?
하고 생각을 했는데
그런 남녀 간의 달콤한 사랑 이야기라기보다는
좀 더 철학적인 의미를 담고 있더군요.

여러모로 인간의 모습을 닮은 안드로이드
인간의 여러 가지 일들을 맡아서 합니다.
유모의 역할
엄마의 역할
비 올 때 집에서 우산을 가지고 와서
학교에서 기다리는 등

그렇게 같은 집에서 살게 되면
로봇일지라도 주인은 그에게
점점 감정이 실리게 됩니다.
마음으로 의지하게 되기도 하고요
이런 일들을 없애고자
영화 속 윤리위원회 라는 곳에서는
로봇과 인간과의 사이가 가까워지는 것을 막기 위해
이런 저런 감시수단을 이용합니다.

이 영화의 메인 테마는 기계라 할지도
'마음이 있다' 인 것 같습니다.
그리고 그 마음 하나로 서로가 이어져 있다.
라는 것을 말해주려던 게 아닌가 싶은데요.

이 영화를 보다보니 어린 시절 가지고 놀던 인형이 생각나
더군요. 자주 끌어안고 잤던 말도 못하고
어디에 걸어갈 수도 없는 그런 존재였지만
안고 있으면 마음이 포근해졌던
인형 말이에요.
설령 사물일지라도 인간이 애착을 가지게 되면
마음이 실리게 되는 것 같습니다.
미래의 이야기를 하고 있지만
조금만 생각해보면 현실의 이야기와도 맞닿아 있다는 생각

이 들더군요.

내가 매일 매일 사용하는 컴퓨터
신발 그리고 옷
아무생각 없이 전원을 켜고
옷을 입고
신발을 신는데
이들에게도 마음이 있을까?
하는 생각은 해 본적이 없더군요.
하는 것 자체가 이상하게 느껴지니까요.

그런데,
어린 시절 가지고 놀던 곰 인형이 나에게 주던 포근함을
생각해보면, 사물이 그 사물의 주인과 교감을 하는 게 맞는
게 아닐까? 그런 생각이 드네요.
좀 더 소중히 대해주고
뭐가 교감을 해야겠다는 생각이 듭니다.
인간뿐만 아니라 주변의 사물들에 대해서도 말이지요.
이브의 시간 - 좋은 애니입니다.

마지막에 주인공인 마사키와 자신의 안드로이드와 화해하는
장면에서는 눈물이 나올 정도였으니까요.
마음이 치유가 되는 느낌이었달 까요?

우리는 지금 치유가 필요한 시대에 살고 있잖아요.

2011년 7월

### 🌱 '사랑 따윈 필요 없어'는 '사랑이 꼭 필요해'와 같은 말

드라마를 보았습니다. 유명한 <사랑 따윈 필요 없어, 여름>라는 일본 드라마고요. 20대의 히로스에 료코(일본 여자배우)의 모습을 볼 수 있습니다. 극중에서 히로스에 료코씨가 분한 아코는 어린 시절의 가족과의 추억을 소중하게 간직하고 있는 사람입니다. 10억 엔 재산의 '상속녀'이지만 돈과 행복은 꼭 비례하는 것은 아닌지 그녀의 삶은 외롭고도 고독하지요. 눈이 안 보이는 그녀는 눈과 함께 마음의 문도 닫아 버렸는데, 그녀 주변의 사람들의 구성원을 보면 그럴 만하다. - 라고 여겨집니다. 도대체 어디서부터인지 꼬여버린 그녀 주변의 인간관계.

사키는 아코를 돌봐주는 사람으로 어쩌면 새엄마가 되었을지도 모릅니다. 그러나 오랜 세월 동안 누구에게도 사랑 받지 못하고 그 집 귀신이 되었달까?
사장님의 비서였던 그녀는 아코를 돌보아왔지만
아코는 단 한 번도 그녀를 똑바로 쳐다보지 않았죠.
그녀가 처음으로 그녀를 똑바로 쳐다보았을 때는 그녀의 눈이 멀게 되었을 때. 지금 그녀는 아코를 죽이려고 하지만
이 드라마의 악역들은 그저 미워할 수 없는 인물들이죠.

그런 그녀의 마음이 이해가 된다고 할까요.

그녀는 겉으로는 아코를 도와주는 친구이지만 사실은 사키와 한통속입니다. 나루는 레이지(남자주인공)를 따라다니는 부하 같은 존재. 차가운 레이지를 동경하여 그와 같이 되고 싶어 하지만 진심으로 아코를 사랑하게 되는 그의 모습에 실망을 느끼고 나중에는 배신을 합니다.

시오리는 레이지가 유일하게 진심으로 사랑했던 여자.
그러나 오토바이 사고로 죽습니다. 사실은 시오리는 오토바이 사고로 죽은 게 아니다. 자살한 것이지요. 레이지의 아이와 함께. 잔인한 방법으로 레이지에게 복수한 것이라 한 것이 맞겠지요. 시오리의 동생 또한 레이지를 도와주지만 그것은 어디까지 자신의 언니만을 사랑하는 레이지일 때입니다.

아코 집안의 변호사 - 어떻게 보면 이 분이 극의 가장 믿음직한 캐릭터입니다. 어떤 것을 바라지 않고 묵묵하게 자신의 본분에 충실한 사람. 그리고 오랫동안 집안의 변호일을 맡아 주며 집안사람들에게 신뢰를 주고 또 신뢰를 받는 인물

아코의 약혼자 - 사랑 없이 아코와 결혼하려는 그의 목적은 단 한 가지 돈. 이렇게만 보면 그도 참 나쁜 인물 같지만 드라마를 보면 이해가 갑니다.

캐릭터를 묘사하는 것은 어려운 일이지요. 특히 이 드라마의 캐릭터는 더 그러하다고 생각해요. 인간이 원래 복잡다단한 동물이지 않은가요. 그리고 인간사 또한 하나도 딱 떨어지는 것은 아니니까요. 이 드라마의 인물들이 그러했고, 이 드라마의 이야기가 그러했다. 악하게만 보였던 인물이 사실은 다른 면을 가지고 있기도 했고, 어떻게 보면 보통 사람보다 더 진실한 사람이기도 하고요….

그래서 말이에요 인간을 정의 내리는 것은 뭐랄까 겸손하지 못한 행위인 것 같다는 생각이 들어요. '내가 뭐라고 누군가를 정의 내릴 수 있겠는가' 그럼에도 불구하고 자꾸 판단하려고 하는 나의 마음 - 아, 싫습니다.

처음부터 잘못되지는 않았던 아코를 둘러싼 인간관계

서로가 오해하고, 서로의 미움이 쌓이고 그래서 어긋나 버린 그들의 관계, 그러나 싫어하면서도 사랑하고

사랑하면서도 다가가지 못하고,

이런 가운데 어디까지가 진실이고 어디까지가 거짓인지를 알 수 없게 되어 버리지만 마지막 즈음에 가서 아코가 모든 사건에 대한 진실을 듣고

얽히고설킨 서로와의 관계를 풀기 위해

모두가 모인 자리에서 진실을 밝힙니다.

자신들의 속마음을 들켜버린 아코 주변을 둘러싼 사람들.

변명을 하기도 하지만 그녀는 이미 다 알고 있지요. 보통의 드라마라면 그렇게 밝혀지고, 주인공 주변을 둘러싼 사람들

이 사라지는 것으로 끝이 나겠지만 이 드라마는 달랐어요. 거대한 장막이 사라지고 난 다음에 끝이 나는 것이 아니라 다시 시작하는 것을⋯.이전에도 시작했던 그것이 한 꺼풀 벗겨 가벼워진 느낌으로 시작하는 것. 그래서 '수준이 높다.' 라고 생각 했답니다. 우리들을 한 단계 승화시켜 주니까요.

사키는 아코를 미워한 것은 사실이지만 그렇다고 사랑하지 않은 것은 아니었다고 생각해요. 그녀를 딸처럼 사랑하기도 하고 증오하기도 했던 것. 이제 증오의 장막이 걷혀 버렸으니 사키의 마음에는 사랑만이⋯. 아코의 친구는 어린 시절 자신을 이지매 시킨 아코가 미웠지만 오히려 아코가 자신이 그런 짓을 했다는 것을 사과했지요. 그러나 그 친구도 복수하려는 마음으로 그 집에 들어왔지만 뭐랄까 정말 친구에 대한 사랑도 있었던 것 같습니다. 그것은 타파에 점자로 뭐가 들었는지 반찬을 준비해주는 그녀의 마음을 보면 알 수 있으니까요.

거짓을 자꾸 숨기려만 하면 처음에는 요만했던 것이 점점 커져 거짓을 위한 거짓이 만들어지고 거대한 벽이 생기고
그런 것들로 인해 인간관계가 멀어지고
치정 사건도 일어나는 것이며
살인 사건도
이 세상의 많은 사건들이 일어나는 것 같아요.
누군가 조금만 용기를 갖고 마음을 열면
이렇게 잘못되는 일은 없을 텐데

이 드라마를 보며
우리들의 슬픈 현실이 떠오르는 것 같아 마음이 아팠지만
동시에 이런 면도 있고 저런 면도 있는 인간에 대해 이해
하게 된 것 같아 다행인 것도 있었답니다.

사람을 미워하기만 하는 것
사람을 사랑하기만 하는 것
이런 것은 없다.
미워하면서도 사랑하고
사랑하면서도 미워하지만
결국은 다 연민이다.
그런 생각을 했습니다.
간사한 저의 마음도 뒤돌아 볼 수 있는 계기가 되었고요.
삶은 우주가 준 거대한 학습 프로그램 같다는 생각이 드는
군요.

2011년 6월

 영화 '안경' - 슬로우, 슬로우 라이프

안경을 아시나요?
후훗, 제가 말하는 안경은 쓰는 안경이 아니라 영화 안경을
말씀드리는 거예요. 잔잔한 배경이 마음에 들어 일본 영화

를 즐겨 보는 데요 그 중에서도 <안경>이라는 영화가 좋더라고요. 그래서 소개 해 드리고 싶어요. 요즘 인터넷 뉴스를 보면 나라 안팎으로 뒤숭숭한 내용밖에 없네요. 지진이다, 홍수다. 혹은 갖가지 살인사건 혹은 성폭행, 머리가 어지러워서 이 마음을 어떻게 정리해야 할지 난감할 때가 한두 번이 아닙니다.

아이쿠! 요까지 쓰고 나니 차가 마시고 싶어지는 군요.
잠시 차를 마시고 숨 좀 돌렸다
다시 돌아올게요.

매일매일 일상에 쫓기어 살다보면
정신을 놓고 살 때도 있고
내가 지금 무얼 하나 싶을 때도 있고
그래서 나오는 표현이 멍~ 때리다. 맞지요?
멍~ 때리다 보면 무기력해지기도 하고
잠시 방심하면 우울증이 찾아오는 것 같기도 해요.
그때는 아니 이놈의 우울증이 하고
친구에게 전화를 하기도 하고
함께 술을 마시러 나가기도 하고

이게 다 외로움의 표현이겠지요?
하지만 채워도 채워지지 않는 가슴
이상하게 허무해지는 느낌

남자친구가 있어도
남편이 있어도
혹은 사랑하는 아들딸이 옆에 있어도
이런 감정에 사로잡힐 때는 혼자 침잠하고 맙니다.
그럴 때! 잔잔한 영화를 보면서
마음을 차분히 가라앉히면 어떨까요?


🥕 영화 안경


'오기나미 나오코'라는 일본의 여성감독이 만든 영화라고 하네요. <카모메 식당>을 젤 처음 보고 이 분 영화가 괜찮다 싶어 찾아보았는데 이 외에 <요시노 이발관> 이라는 영화도 있고 토일렛이라는 영화도 만들었다고 합니다. 이 분의 영화에는 그렇게 유명하거나 잘생기거나 예쁜 배우가 나오는 것은 아니지만 뭐랄까. 아, 저분이 일상에 있으면 참으로 좋겠다. 주변이 따스해 지겠다. 하는 느낌의 배우들이 나와서 친근감이 듭니다.


인터넷 검색을 해보니 세상에서 가장 조용한 곳에서 벌어지는 맛있는 이야기라고 하네요. 그도 그럴 것이 먹는 장면이 참으로 많이 나와요. (스읍~ 침 넘어가는 소리.)
하얀 빙수에 팥만 얹힌 팥빙수
바닷가 마을에서 먹는 맥주(비루) 한 캔
그리고 불긋불긋한 바닷가재까지

휴대전화가 터지지 않는 곳으로 떠나고픈 주인공 타에코씨는 어느 날 남쪽 바닷가 마을로 여행을 떠납니다. 뭔가 사연이 있는 것 같기는 하지만 이 영화에서는 그것을 밝히지는 않습니다. 그곳에는 손님이 많이 찾아오게 하지 않기 위해 일부러 간판을 아주 작게 단 민박집 주인 유지와 매년 이 마을을 찾아오는 빙수 아줌마 사쿠라 그리고 시도 때도 없이 민박집을 들르는 생물 선생님이 있습니다.

이들은 생전 처음 보는 타에코씨를 넉넉하게 받아들입니다. 장면마다 유지아저씨의 혹은 빙수 아줌마의 넉넉한 웃음 속에서 누군가를 받아들인 다는 것은 말이 필요한 게 아니구나. 또 누군가를 이해한다는 것도 말이 필요한 게 아니구나. 하는 것을 느낍니다.

유지 아저씨가 해 주는 음식 속에서
그리고 빙수 아줌마의 빙수 맛에서
타에코씨는 차츰 차츰 마음을 엽니다.
아무 일도 일어나지 않을 것 같은 이 마을에 중요한 행사 중 하나는 바로 '메르시 체조' 인터넷을 뒤져보면 체조방법이 적힌 일러스트가 돌아다니더라고요. 예전에 이 영화를 보고 한 번 따라 했던 기억이 납니다.
모든 마을 사람들이 나와서 체조를 따라하는 장면
그것도 바닷가를 배경으로
참 멋있지 않나요?

이 마을의 특징은

그토록 멀리 떨어져 있고 조용하고 사람이 별로 없으면서도

누구에게나 열린 마음으로 다가와 준다는 것입니다.

상처를 입은 육지의 사람들이

이곳에 올 때

마음의 상처를 감싸 안아줍니다.

꼬치꼬치 묻지 않고

한 발자국 멀리서 조용히 바라봐 줍니다.

참으로 수준 높은 사랑의 표현법 같습니다.


아참! 이 영화에서 카메오 비슷하게 출현하는 또 하나의 배우, 카세 료. 일본에서는 연기 잘하는 배우라고 그러네요.

출연할 때 마다 어찌 사람이 달라 보이는지. 외모가 뛰어나고 연기가 뛰어나서 눈에 띄는 배우도 있지만 이 분은 투명한 듯, 찌질한 듯, 요상한 듯, 멋있는 듯 얼핏 보면 무개성인 것 같은데 자꾸자꾸 매력이 품어 나오는 것 같습니다.


잔잔하게 일상을 바라보는 듯 보는 영화라서

딱히 결말을 어떻게 말하기는 그렇습니다.

다만 바닷가에 모두가 모여 앉아 맥주를 마시고

또 한 사람 타에코의 제자가 자유란 무엇인가? 라는 제목의 시를 읊습니다. 그리고 관객들은 그 편안함을 듬뿍 흡수하면 되는 것으로 이 영화는 끝이 납니다.

사람들에게 시달려서 마음이 지칠 때

조용하게 있고 싶을 때
차 한 잔 옆에 두고 이 영화 한편씩 보는 건 어떨까요?

2011년 4월

 괜찮아요, 당신?

유명세 때문에 힘든 삶을 보내는 사람들을 보면
유명세라는 것이, 공인이라는 것이
얼마나 힘이 드는 일인가 하는 생각이 들어요.
 남을 즐겁게 해주는 역할
남의 의식을 밝혀주는 사람
이런 사람들은 사명을 가지고 지구에 온 사람들이 아닐까
요?

하지만 성숙하지 못한 사람들은
이런 사람들을 비난하고
심지어 가까운 친구들도 이해하지 못하고
뭐라고 할 때가 있지요.
그러면 참으로 슬플 것 같아요.
슬퍼서 자살하고
일생을 고통 속에서 지내고
객관적인 입장에서 봤을 때

그런 사람들을 보면 가슴이 아파요.
욕을 하고 소문내는 사람 때문에
왜 죽느냐 말이에요.
왜 소중한 자신을 사랑해 주지 않고
자살이라는 극단적인 선택을 하는가 말입니까.
이봐요! 다들 자살 예방주사 하나씩 맞자고요!!!!

2010년 12월 17일

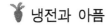 냉전과 아픔

냉전이 끝난 지가 어언 20년이 되어가는군요. 하지만 여전히 지구상에 유일한 분단국가로 남아있는 대한민국 어느 날 수업시간에 분단이 지속되면서 가장 슬픈 게 무엇인줄 아는가? 하는 선생님의 질문에 대답을 제대로 하지 못했던 기억이 나요. 당시 저에게 북한이란 존재와 분단이란 현실이 그리 와 닿지 않았거든요.

슬픔 중에 가장 큰 슬픔이 생이별로 인한 슬픔이라고 하더군요. 누군가가 죽으면 시신이라도 볼 수 있지만 생이별로 인한 슬픔은 죽을 때까지 잊을 수 없고 또 죽어서도 원혼이 되어 떠돌 정도라고. 얼마나 한이 되었으면...
저는 아직 모르고 있지만 조금만 주변을 둘러보면
전쟁 때문에 생이별을 한 가족들

전쟁으로 가족들이 죽거나 불구가 되거나
다들 마음속에 하나씩 품고 살지 않을까 싶어요.


DMZ 비무장지대
자연에게는 더 이상 좋은 환경이 없겠지만
인간들에겐 단절의 상징
분단의 상징
갈등의 상징
대립의 상징


나를 위해서 이웃을 위해서
갈등을 화합으로 승화 시킬 수 있다면
얼마나 좋을까
민족의 원한을 풀고
나의 한을 풀고
더불어 사는 대한민국


나라를 위해 아무런 이유 없이
돌아가신 여러 분들 - 호국장병들이건 민간인들이건
그들의 죽음 앞에 애절한 마음을 보냅니다.


6.25가 된 날에

## 🐰 선애학교 아이들

내가 살고 있는 마을에는 대안학교인 선애학교가 있다. 공동체 마을에 살고 싶지만 꺼려하는 이유 중 하나가 교육문제인데 그런 것 만큼은 학교가 있어 참으로 좋다고 생각한다. 여기서는 선생님을 안내자라는 명칭으로 부르고 수업은 아이들이 하고 싶어 하는 것으로 짜고 많은 부분을 아이들의 자율에 맡기지만 그렇다고 방치하는 것은 아니다.

반발자국 떨어져서 아이가 하고 싶어하고 좋아하는 것을 찾아 하게끔 도와주고 균형을 잡아주는 역할을 한다고 할까...
사실 그게 어려운 거지만 오늘은 이곳에서 중3 학생들에게 해외에 나가서 교류를 할 때 필요한 매너, 영어 등을 가르쳤다. 공교육을 받은 아이들이 아니라 영어를 제대로 배운 적이 없다고 해서 조금은 걱정스런 마음을 안고 수업을 시작했는데 의외로 아이들이 잘 따라하고 적극적이라 수업하는 것이 즐거웠다.

이 아이들이 한 달 동안 베트남, 캄보디아, 태국을 여행한다고 한다. 태국에서는 우리와 비슷한 대안학교를 방문하여 그곳 아이들과 교류를 튼다고 하니 대단하다고 생각한다. 나는 그 나이 때 배낭여행 이란 걸 감히 생각해봤을까?

오늘 가서 베트남이나 캄보디아 태국에 대해 물어봤더니 그동안 공부를 많이 했는지 대답을 잘하더라. 아시아를 여행해야한다고 생각한다. 내가 자랄 때는 무조건 미국! 이렇게 생각했기에 가까운 동아시아에 대해서 오히려 무지하지 않았던가. 그렇게 가까운 곳부터 시작해 먼 나라를 이해하는 것이 자연스럽고, 또 친근하고. 아이들은 힘은 들겠지만 즐겁고 많은 것을 배울 수 있는 여행을 하고 왔으면 좋겠다. 더불어 이런 아이디어를 내고 아이들과 함께하는 학교 안내자 분들이나 교감, 교장 선생님들 대단하다고 생각한다. 나야 뭐, 가끔 왔다 갔다 하는 거지만 매일 아이들과 부대끼며 살아가는 입장에선 많은 부분 감내하고 참아야 하는 것도 있고., 선생님이란 직업은 뭐랄까 아무나 할 수 있는 것은 아니라 생각한다.

🥕 선애학교, 그 후 (배낭여행을 다녀와서)

1년 전 이맘때 이었던 것 같다. 마을 안에 있는 학교인 선애학교의 중3 학생들이 중학교 졸업 기념으로 배낭여행을 떠난다고 들었다. 처음에 그 얘길 들었을 때는 '배낭여행이라 좋지' 라고만 생각했는데, 나중에 학생들에게 들은 여행

이야기는 보통 우리들이 생각하는 여행이 아니었다.

열다섯, 열여섯 아이들이 여행의 모든 일정을 계획하고, 공부할 거리를 찾고, 또 해외의 대안학교 학생들과 만남까지 기획했다고 하니 아이들이 보통이 아니란 걸 알았다. 그래서 여행기를 써서 책으로 엮어 보면 어떻겠냐고 제안을 했었는데, 그로부터 1년 후 아이들은 정말로 책을 내었다. 보통 여행기라고 하면 사진만 잔뜩 있고 짧은 에세이가 몇 줄 들어가는 게 다가 아닌가, 그러나 이 여행기는 살아있는 기록 문화라고 할까? 먼저 각각 개성이 다른 아이들이 한 꼭지씩 여행의 일정을 맡아 썼기에 그 에너지를 고스란히 느낄 수 있다. 상큼하고 발랄한 그러면서도 열정적인 그들의 에너지를 느끼며 책을 읽는 기분은 마치 나도 그 또래가 되어 여행을 함께 하는 것 같다.

요즘 엄마들 사이에 '불량맘'이라는 용어가 유행이라고 한다. 아이들이 그저 있어주는 것만으로도 고맙다고 하여, 부모님들 사이에 번지기 시작한 문화인데, 이전까지는 각종 학원에 보내고, 다른 아이들과 비교하고, 최고가 되어라고 아이들에게 주문했던 부모님이 학원도 끊고 놀게 한다는 것이다. 하지만 선애학교 아이들은 애초에 놀며 공부했다. 그러면서 스스로 공부하는 법을, 돈 버는 법을, 또 나누는 법을 배운다.

생각해보라 어린 시절 자연속의 학교에서 피붙이가 아닌 아이들과 공부도 함께, 밥 먹는 것도 함께, 자는 것도 함께, 모든 것을 함께 한 아이들이 자라서 어떤 모습이 될지? 피는 물보다 진하다고 하지만, 한창 예민할 시기에 형제자매처럼 가까이 지내는 이들의 관계는 단언컨대 형제이상이다. 아마도 평생을 걸쳐 함께할 동반자가 될 것이다.

공자님은 '배우고 때로 익히면 또한 기쁘지 아니한가?' 라고 말씀하셨다. 이 말의 뜻은 책상머리위에 앉아서 하는 공부를 일컫는 것이 아닐 게다. 매사 사물을 열린 마음으로 대하고 알고자 하는 노력이 아닐까? 그런 의미에서 공부는 경계가 없는 것이다. 그중에서도 최고 경지는 스스로 알아서 즐겁게 하는 것. '공부하러 놀러가요'를 쓴 정은, 지우, 채영, 본이는 그 경지에 있는 아이들이다. 왜? 말 그대로 공부하러 놀러갔으니깐!

표지도 스스로 만들었다. 이런 것들이 경험으로 쌓여  몇 년 후엔 아마 추어가 아닌 프로 작가가 되고 만화가가 된 그들.

비록 몸은 일에 묶여 있어도 마음만은 자유롭고 싶은 사람들, 의욕이 없는 사람들, 새로운 문화를 꿈꾸는 이들에게 추천하고 싶다. 아이들이 각 나라에서 겪은 에피소드, 우리문

화와의 차이에 대한 평, 또 느낀 점들을 읽어 내려가다 보면 아이라고 생각했던 그들이 더 이상 아이가 아님을 깨닫는다. 그들을 통해 나도 배운다. 그리고 책장을 덮을 때쯤, 나는 해준 것이 없는데 아이들은 또 스스로 이만큼 자랐구나, 하는 마음에 눈물이 맺힌다. 고맙다, 얘들아. 괜히 옆에 있는 동료를 안아준다. 함께 해주어 고마워요.

## 🌱 행복다음엔?

요즘 자주 듣는 말이 행복하세요~다.

얼마 전 까지만 해도 건강하세요~가 상대방에게 건네는 덕담으로 사용되었는데 이제는 행복하세요로 바뀌었다는 것.

이유가 뭘까? 못 먹던 시절에는 어떻게든 한번 잘 살아보자. 이래서 열심히 허리띠 졸라매고 일하던 시절이 있었다(고 한다.) 그리고 많은 이민 세대들이 사실은 자식에게만큼은 경제적 여유를 주기 위해 떠났다고 한다. 지금은 먹고 살만하고 우리도 이제 문화를 즐길 만한 여유가 생기자 사람들은 건강하세요~에서 행복하세요~라고 말을 하게 된 것이다.

건강과 행복. 건강은 육체의 건강을 의미하는 바가 높다. 몸이 건강해야 하고 싶은 일도 할 수 있으니...그러나 행복은 이제 몸의 건강을 넘어 마음의 평화를 원하는 것이다. 몸에서 마음으로 사람들의 의식이 한 단계 성장한 것일까? 그래서 사람들의 취미도 다양해졌다. 예전엔 밖에 나가 외식하는 게 가족들의 취미였다면 이제는 주말농장을 하는 사람도 해외 여행을 하는 사람도 사진 찍는 사람도 블로그 활동을 하는 사람도 책을 쓰는 사람도 그야말로 다양한 활동을 펼치고 있다. 행복하세요~는 사실 몸과 마음의 평화라는 의미를 지닐 것이다. 여러모로 종합적인 well-being 이라고 할까?

한 동안은 행복하세요~ 라고 말하고 다니겠지 그런데 그 다음이 궁금하다. 행복하세요 다음엔 무슨 말을 할까? 그 다음엔, 영혼의 성장을 위해 노력하지 않을까? 하는 생각이 든다. 몸도 어느 정도 건강하고 주변 환경도 정리가 되면 사람이 관심 가지게 되는 것은 정신적인 것이다. 그래서 요즘은 일반 사람들도 명상에 관심을 갖고 단전호흡이니 하는 것들에 접근하는 것이다.

예전에는 번듯한 직장을 가졌거나 학벌이 좋거나 한데 산으로 들어가 스님이 되겠다고 하면 짐을 싸서 말리지만 요즘은 똑똑하고 잘나가는 사람들 중 공동의 선이라든가 사회정의라든가 아니면 보이지 않는 영적인 세계 같은 보다 높은 정신적 가치에 관심을 두는 사람들이 늘어났다. 사회 지도층일수록 비움을 실천하고 모범을 보인다면 그 사회는 건강하지 않겠는가?

얼마 전 세계은행의 김용총재님의 인터뷰에서 이런 말을 듣고 깊이 공감한 적이 있다.

"사회정의를 위해 일을 하는 기관에서는 기업처럼 치열한 리더십을 가지고 노력해야 한다. 그런데 사회적으로 이런 기관에 대해서는 관용적이다."

맞는 말씀이다. 이런 기관에 있는 사람도 기업의 리더들 못 지않게 경쟁력을 갖추고 서로 간에 파괴적으로 에너지를 쓰지 않고 하나로 호흡하면서 목표를 성취하기 위해 노력하는 것이 참 필요하다. 돈을 위해서 일을 하는 것보다 내 마음의 가치를 위해 일을 하는 것이니...그렇다고 물질세계를 살아가면서 돈이 무시되어서는 안 된다. 에너지를 돌리기 위해 물질은 필요한 것이니까. 앞으로는 '행복하세요'에서 한 없이 나아가세요~이런 말을 서로에게 하는 날이 오지 않을까?

여러분, 한 없이 나아가세요. (몸도 영혼도 말이에요.)

## 🥕 고양이와 개의 상관관계

마을에 함께 살고 있는 여자들은 고양이를 좋아하고 남자들은 흑구를 좋아한다. 여자들은 흑구가 갑자기 점프하고 숙소로 들어오는 것에 기겁한다. 하지만 남자들은 어떻게든 흑구에게 잘해주려고 한다.

흠, 개와 고양이의 관계는 남녀관계만큼이나 복잡한 걸까? 마을에 사는 한 분이 찍은 사진에 이 셋의 관계가 드러난다. 뭣모르고 함께 놀고 싶어하는 흑구는 시도때도 없고 눈치도 없음. ^^;

그런 흑구를 경계하는 냥이 두 마리이다. 피망이는 수컷이지만 암컷 고양이 코코아 뒤에 쏙 숨어있고 코코아는 흑구 덩치에 상관없이 완전 기가 살아있음.

흑구는 고양이들과 놀고 싶어 매일 다가가지만 고양이들은 저렇게 흑구를 경계한다. 흑구가 좀 더 크고 점잖아지면 달라질 수도 있겠지만 지금으로서는 서로 못 보게 하는 것이 나을 것이다.

한참 후에 입양한 두 아이들 커피와 모카. 집사이모! 간식을 부탁해. 다정한 듯 보이나 실상은 맛있는 것을 달라고 쳐들어온다. 맛있는 것이 없는 것을 알면 뒤도 안 돌아보고 간다. 모카는 애교쟁이이고 커피는 점잖다.


## 🥕 자기사랑의 시대

우리나라는 바야흐로 자기 사랑의 시대를 맞이한 것 같아요. 제가 자랄 때를 떠올려보면 헐리웃 영화에 대한 동경이 있고 미국에 대한 동경이 강했거든요. 그러다 90년대 중반을 들어서면서 우리나라 영화중에서도 괜찮은 것들이 나타나고 10대 청소년들은 외국의 팝가수 보단 국내 아이돌을 좋아하더군요. 이렇게 대규모로 우리나라 노래를 생산하고 소비한 것은 우리가 1세대가 아닐까 싶어요. 이렇게 자란 우리들은 우리 문화에 대한 자부심이 마음속에 있죠. 그래도 해외에 나갔을 때 열등감은 조금 있었는데 지금의 세대들은 오히려 반대로 상대방의 문화에 흡수되는 것이 아니라 우리의 문화를 주변에 이를 퍼뜨리는 역할을 하더군요.

가장 일선에 나온 사람들은 대중문화의 기수들
그리고 차츰 사극들이 방영되면서
해외에서도 한국문학 이라든가
정신문화의 영역에도 관심을
기울이기 시작하더군요.
우리나라 사람들은 전에 없는 인문학의 열기에 녹아있죠.
오죽하면 시골의 우리 마을 사람들도 멀리서 한 인문학자
분을 초대하여 강의를 들을 정도였으니까요.

고전, 예전엔 고전이 왜 중요한지 알지 못했어요.
고리타분하고 어렵다고만 생각했죠.
지금도 어렵다고 생각은 들지만 고전을 공부할수록
조상님들께서 참으로 대단한 분들이었다는 생각이 들어요.
왜 지금까지 이것을 몰랐을까
이제부터는 자신에 대해 아는 공부도 교육계에서
시도했으면 좋겠다는 생각이 드네요.
자신을 안다는 것은 무엇보다 소중한 삶의 명제니까요.

2013년 어느 날

## 🌱 삶은 꽃 죽음은 열매

'삶이 꽃이라면 죽음은 열매'라고 책에서 읽은 적이 있어요.
자신의 일평생을 보람 있게 산 사람이라면 죽음의 순간에
이르렀을 때 스스로에게 말할 수 있겠지요.
"나 참 잘살았다." 하고요.
죽음이라면 어둠이고, 삶의 이면이라고 생각하는
세상의 죽음에 대한 문화가 사실은 축제이고, 죽어가는 사
람에 대해 예를 갖추어 가는 길을 축복해주는 문화로 바뀌
면 좋겠다고 생각하는 분들이 점점 늘어가고 있는 것 같아
요. 최근에 그런 장례문화를 정착하기 위해 말없이 힘쓰는
분을 찾아뵈었어요. 남쪽 시골에서 나눔과 비움을 실천하는
곳이라는 이름의 나비원(나눔과 비움의 정원)을 운영하고
있는 분이었죠.


그 분은 여성 장례지도사로서
무조건 슬프고 피하고 싶은 것에서
고인이 평안하게 이 생(生)에서의 삶을 뒤로 하고
훨훨 날아오를 수 있도록
기쁘고 또 충만하게 빌어주는 장례문화가
정착 되었으면 좋겠다고 말하더군요.
구체적인 예로
삼베 수의보다는 평소 고인이 좋아했던 예쁜 옷을 입히고
시체를 꽁꽁 싸매기 보다는 꽃으로 장식된 관 안에 눕히고

죽고 나서는 재빨리 자연으로 돌아갈 수 있도록
화장을 합니다.
그리고 강물이나 바닷물 위에 뿌려주는 것이 가장
순환이 빠르다고 하네요.
순환이 빠른 만큼 자손에게도, 또 망자에게도 분리를 빨리
하게 해주어서 진화가 빠르다고 합니다.

장례식장에는 고인에게 쓰는 편지나 시를 고인이 좋아했던
음악과 함께 잔잔히 깔아주고요. 얼른 그런 장례문화가 성
립되기를 바랍니다. 왜냐하면 저는 삼베수의에 꽁꽁 싸매어
져 죽고 싶진 않거든요. 그리고 누군가를 보낸다는 것이 슬
픈 일이긴 하지만 그래도 이왕이면 그 분을 충분히 느끼고
추모하는 장례식이 좋잖아요. 무조건 울기만 하는 것 보다
는 그렇게 조심스레 말해봅니다.

2011년 6월

 예술가들의 마음고생

글을 쓰는 일을 하다보니 주변에 예술을 하는 친구들이 있
어요. 그들과의 관계에서 힘들 때도 있고 즐거울 때도 있지
요. '예술가'라고 하면 뭔가 다른 분위기를 풍기는 것도 사
실이잖아요. 그들과의 관계에서 알게 된 것은 어떤 이에게
남들과는 조금 다른 재능이 주어질 때에는 그만큼의 마이너
스 요인도 있다는 거였어요.

예를 들어 일반인들은 감정이라는 것에 그렇게 심하게 빠져들진 않지만 예술가들은 특히 감정을 표현하는 직업을 가진 사람들 중에는 감정이라는 것에 깊이 빠져들기도 해서 보통 사람들의 관점으로 보았을 때, '쟤 참 이상하다.' 하는 특성을 보이기도 해요. 그리고 정서적으로 어린아이 같아 보일 때도 있습니다. 순수하니까 함께 있으면 기분이 좋아지기도 하는데 어쩔 때에는 돌봐 주어야하는 상황이 연출되기도 하죠. 그래서 많은 예술가들이 보통 사람들보다 더 잦은 만남과 헤어짐을 반복하는 것도 어쩌면 그런 이유일지도 모르지요

그리고 외모 또한 마찬가지에요 처음에는 부러웠었죠. 아름다운 외모가요. 그러나 모든 것에는 플러스가 있으면 그만큼의 마이너스도 있는 법이에요 단지 드러난 것이 외모여서 그렇지 그 만큼의 노력이나 수고 또한 만만치 않을 거라는 것을요 일반사람들은 드러나 있지 않아서 오히려 행복한 것이기도 하다는 것을 예술가 친구들을 통해 알게 됩니다. 드러나면 그 만큼 공격의 대상이 되는 것이 사실이더라고요 공격의 대상이 되면 자신을 지키는 것이 힘들어집니다. 자신의 삶을 남에게 내어주어야 할 때도 생기는 것 이지요

중요한 것은 자신에 대한 사랑입니다.
예술가 친구들의 재능을 부러워할 때에
내가 가진 것이 무언가 내면에 집중하고
그것을 찾아내어 거기에 집중하는 거죠

그것이 나를 사랑하는 길이고
타인과의 조화를 이루는 길임을
알아가는 요즘입니다.

2011년 8월29일

🐇 마리아 칼라스 - 두 사람의 마리아. '빛나는 프리마돈나' 그리고 '마리아라는 이름의 여자'

마리아 칼라스에 관한 전기를 읽었어요. 이름만 들어도 사랑과 열정의 기운이 팍팍 느껴지는 그녀 - 어떤 삶을 살았을까. 그녀에 대해 알아보았지요.

무대 위에서는 강렬한 '아우라'를 내 뿜고 좌중을 휘어잡아서 실제 생활에 있어서도 사람들을 꼼짝 못하게 할 것 같은 여인이지만 사랑에 있어서는 너무나도 여성이었던 사람 자신이 맡았던 극중 인물들도 한결같이 사랑에 헌신적이고 희생적이었던 인물이었다. 그녀는 생전에 이런 인물들에 매력을 느낀다고 했답니다.

예술가들은 자신을 불태워 창작물을 만드는 사람들이기 때문에 그 에너지를 발산할 곳이 필요하지요. 감정을 잘 조절하고 승화시킬 경우 이는 예술이라는 이름으로 탄생되지만 그렇지 못할 경우 주변에 그 강한 에너지로 독을 주지요.

완벽한 예술세계를 창조한 만큼
자신의 삶도 그렇게 가꾸었으면 좋았을 텐데
자신에 대한 평가가 너무 인색한 나머지
'디바'였던 자신을 과소평가 했다고요.
사랑에 그렇게 약해지고
외로움에 사무쳐 하고
어린 시절의 그림자로부터 자유롭지 못한 것을
보면 말이에요.

객관적인 상황으로 보면 마리아 칼라스는
그렇게 나쁜 어린 시절을 보낸 것은 아닌 것 같아요.
다만, 그 감수성과 천재성에 비해
주변의 환경이 따라주지 못하니까
보통 사람들이 그런 상황에 처 했을 때 보다
상처를 많이 받았다고 생각해요.

완벽주의자들에게 한 가지 빠진 것은
바로 자기 사랑이 아닐까 하는 생각이 들었어요.
자신을 완벽하지 않다고 생각하기 때문에
완벽을 추구하는 게 아닐까 하고요.
주변인들보다 자신에 대한 모습이 일그러져 있기 때문에
내면 속의 일그러짐을 극한으로 내몰아 완벽해지고자 하는 거라고요. 그러기에 한쪽으로 치우쳤다고 할 수 있어요.
객관적으로 괜찮음에도 불구하고 계속 몰아가기 때문에.


그녀의 삶은 홀로서기 위한 투쟁이었고
그녀의 예술혼은 진짜였어요.
인생의 말년에 쓸쓸하게 마무리가 되어서
안타까움이 일지만 그녀의 예술에 대해서는 아무도 뭐라고
할 사람은 없지 않을까요?
프리마돈나였던 마리아 칼라스
한 사람의 여인이고자 했던 마리아 칼라스
그녀는 그렇게 두 얼굴로 기억되고 있어요.
여러분은 주변인에게 어떤 얼굴로 각인되어 있을까요?


2011년 7월 24일

 내가 바로 영웅!


우리들의 가슴 속에. 올 초 아엠 넘버 포(I am number
four)라는 책이 시중에 나왔을 때 한창 화제가 되었던 적이
있어요. SF류는 관심이 없어서 심드렁하게 생각했었지요.
그런데 어떻게 책은 구해서 읽어 보았는데
뭐랄까 마음속에서 이거다! 하는 생각이 왔달 까요?
스타워즈를 보고 자란 우리세대.

막연하게 나도 우주에서 오지 않았을까?
그리고 영화 '콘택트'를 보면 이 거대한 우주 공간에서
생명이 있는 별이 단 지구뿐이라면
그것은 엄청난 공간의 낭비이다. 하는 대사가 있어요.
당시 고등학생 이었던 저는 그 영화를 보며
고개를 끄덕끄덕
이 엄청난 우주에 생명이 있는 존재가 우리뿐이라면
그건 너무 오만하고도 외로운 일이라고 생각했어요.

자신의 사리사욕만을 채우기 위해
행성을 파괴하고
로리언 기사들을 쫓는 모가도리언들
스케일만 커지고 무대만 우주로 바뀌었을 뿐
지구에서 일어나는 일이나 별반 다를 바가 없다는 생각이
들었지요.

영혼에 관한 책에서 이런 구절을 읽은 것이 기억납니다.
전쟁 중에 죽었던 영혼은 죽어서도 계속 대치 상태에서
전쟁을 하고 있다는 내용이요.
자신이 죽었음에도 죽음을 인지하지 못하고
계속 그 상태에서 살아간다지요.
어느 정도는 이해가 갔어요.
왜냐하면 이 우주는 마음의 세계라고 하니까요.

자신의 마음의 반영이니까

마음속에서 전쟁 속에서 살고 있다면

죽어서도 전쟁 속에 살아가고 있는 것이지요.


후후후. 이야기가 잠시 다른 곳으로 샜군요.

그래서 넘버 포는 모가디리언들은 피해 이리저리 도망 다니는 삶을 살지요.

가족도 없고 그냥 혼자일 뿐

자신을 보호해주는 헨리가 있긴 하지만 그는 가족은 아니죠. 그래서 지구인들의 평범한 삶에 대한 그리움이 있습니다. 로리언 기사들은 우리들과 같은 모습을 하고 우리들 속에 섞여(?) 살고 있다고 합니다. 표면상으로 이 책의 저자는 '피타커스 로어'라고 로리언 기사 중 한 사람이라고 자신이 바로 넘버 포라고 소개하고 있습니다.


처음에 저는 정말로 로리언들이 있어서 지구의 위기를 알리기 위해 글을 써서 알리고 있구나 하고 생각했습니다. (그런 바보가 진짜 있다니? 네 저입니다. ^^;) 알고 봤더니 '피타커스 로어'는 필명이었고 유명한 작가가 쓴 거라고 하더군요. 살짝 아쉬웠어요.


영화는 항상 한 사람의 영웅을 내세우는 것 같습니다.

한 사람의 특별한 능력자가 지구를 구하고

우리들을 지킨다. 그런 식으로 말이지요.

한 사람의 영웅과 평범한 추종자들

사실 저는 일상의 우리들이 각자 인생 드라마의 주인공이고 엑스트라이고 조연배우라고 생각하거든요. 우리들 중 어느 누구도 다른 사람을 위해 사는 것은 없습니다. 자신을 위해 사는 것이지요. 단지 역할이 있을 뿐.

앞으로는 평범한 사람이 주인공이 되어
역사를 이루는 내용의 영화도 나왔으면 좋겠습니다.
우리는 한 사람에 열광하기 보다는
각자 안의 힘을 깨달아야 하는
인생의 주인공이니까요.

아엠 넘버 포를 보면서
저는 제가 넘버 포라고 생각했습니다.
내가 바로 number four!
당신이 바로 number four!

2011년 7월 9일

차가 없어서 자주가진 못했지만 좋아했던 남열리 바다. 남도의 바다는 이렇게 다도해였다. 풍경이 참 이국적이었던 남도. 오랫동안 보존되었으면.

## 🥕 엄친딸에 대한 단상

처음에 지방에서 서울로 와서 학교를 다니고
소위 엄친딸이라고 불리는 사람들이
제 주변에 많이 있었죠.
이 사람들은 어떻게 살까?
별 다른 게 있을까?
그들과 공부를 하고 학창 시절을 보내면서
마냥 부러워만 했던 저는
엄친 딸이라는 타이틀 뒤에
숨겨진 힘듦을 조금은 알게 되었습니다.

어린 시절을 외국에서 혹은 문화적으로
더욱 풍부한 곳에서 자랐기 때문에
상식도 풍부하고 외국어도 능통하고
그런 점들이 있기도 하지만
우리가 자랄 때만 해도
외국에서 우리나라의 입지가 좋지 않았다고 합니다.
그래서 인종차별의 경험도 있고
어린 시절의 '트라우마' 이런 것도 있으며
좋지만은 않은 기억들

영화에서 보던 것처럼
좋은 차를 몰고 다니고
맛난 것만 먹고 그렇게 사는 줄 알았는데
평범한 우리네들의 삶과 다를 것 없이
아껴 쓰려 하고
맛있는 것 먹고 싶은 것 못 먹을 때도 있고
그 중에 허영이 있는 부류도 있어
부를 과시 하는 사람도 있긴 하지만
그것은 드문 경우였고
옆에서 느낀 것은 같다.
사람 사는 것은 다 같다.
이런 것이었습니다.

경제적으로 조금 더 여유가 있는 부류는 어렸을 적에
악기 하나를 더 배웠다든지
무용을 했다든지
그런 정도의 차이가 있을 뿐

아, 그리고 확실히 겉으로도 부티가 좔좔 나는 사람도 있긴
했지만 그래도 대부분은 말하기 전에는 차이가 나는 것도
아니고  하여튼 학창 시절을 보내면서 이런 저런 차이를
못 느꼈기에 괜찮았다는 것입니다.

사람은 못 가져본 것에 대한 부러움이 있지요.
해 보지 않은 일에 대해 동경도 있고요
그러나 그것이 일상이 되어 버리면
더 이상 부러움도 동경의 대상도 아닌 것이 되어 버립니다.
그러니 처음부터 '없는 것이다.' 라고 생각하면 가장 좋겠지
요.

이쪽에 가나 저쪽에 가나
사람 사는 것은 비슷하다는 것.
그리고 외국 생활을 하며 느낀 것은
그래도 우리나라는 자기의 능력으로
장애나 배경적인 것들을 극복할 수 있는 여지가
상대적으로 많다는 것.

그래서 우리는 행복하다는 것.

그것입니다

그래도 가끔 불뚝불뚝 마음속에서 솟아오를 때는 있죠?


'거침없이 하이킥'에서 민정 선생님이 신지에게 한 대사가 생각나서 넣어 봅니다. 극중에서 민정이가 작곡가로 변신한 신지에게 '너는 이제 유명해지고 돈도 많이 벌겠지.' 하고 부러워하자 신지가 이렇게 말합니다.


*민정이가 부러워 할 필요는 없어.*

*너는 작곡가가 되고 싶어 하지 않았잖아.*

*선생님이 되고 싶었지.*

*너는 돈을 많이 벌고 싶어 하지 않았잖아.*

*작곡가인 인생은 내 인생이고*

*선생님인 인생은 너의 인생이야.*

*너의 선택의 결과를 너는 살고 있는 것이니*

*나를 부러워 할 필요가 없어.*

*라고 말이지요.*


이 비슷한 대사였던 것 같습니다.

연예인이 부럽고, 얼굴 예쁜 사람이 부럽고

세상에 부러울 게 참 많지만

지금의 나는 내 선택의 결과라는 것을 항상 잊지 말아야겠어요. 사실 이것은 자신에게 하는 말입니다. 저도 참 많이 부러워하며 살거든요.  써 놓고 보니 저에게 다짐하는 글이 되었네요.

2011년 7월7일

눈 내리던 날이 되면 온 세상이 눈에 덮여 포근해지는 느낌이었다. 정말 좋아했던 풍경이다. 방문열고 나가면 바로 볼 수 있는 풍경이 이랬다.

 무탄트 메시지

무탄트 메시지라는 책을 처음 봤던 게 십여 년 전 대학교 도서관에서였죠. 당시 서울 지리도 잘 모르는데다가 친구도

별로 없었던 저는 주말마다 책을 잔뜩 빌려서는 생에 처음으로 맞는 자유의 시간을 그와 함께 보내었죠. 조그마한 하숙방에서 이불 펴 놓고, 시험걱정, 공부걱정 할 필요 없이 맞이하는 그 시간이 참으로 소중하고 또 소중했답니다.

당시의 제목은 그냥 무탄트였던 것 같아요. 돌연변이라는 제목의 그 책은 아무도 보지 않아 먼지가 뽀얗게 쌓여있었고, 이 좋은 책이 왜 베스트셀러가 아닐까? 하는 생각을 했었는데, 마니아적인 기질이 발동 했는지, 저만이 아는 보물상자를 가지게 된 것 같아 한편으론 기분이 좋기도 했어요.

무탄트 메시지는 미국인 의사가 비즈니스 차 호주에 갔다가 그 곳의 어보리진의 한 부족과 한 달 동안 여행을 떠나는 이야기인데 문명의 모든 것은 벗어버리고 정말 태초에 이 땅에 태어났던 그 모습처럼 말이죠. 한 달 동안 그들과 여행을 하며 말로 모건(미국인 의사)은 물리적, 정신적 변화를 맞이하는데 도시에서 사는 우리들은 우리가 문명인인줄 알고 살아가지만 자연의 입장에서 우리처럼 냄새 나고 시끄러운 족속이 없다는 글에서 웃음이 나왔어요.

자신의 냄새 때문에 동물들이 곁에 오지 않는 다는 이야기를 들은 말로아줌마는 참사람 부족이 가르쳐 준 대로 모래 구덩이를 파서 그 속에 몇 시간 동안 담겨 있다가 밖을 나옵니다. 참사람 부족은 침묵 속에서 대화를 나누더군요.

말로는 조용하게 걷는 그들에게 자신의 말소리가 침묵을 방해한다는 것을 알고 언어라는 것이 얼마나 거추장스러운 것인가를 생각했어요. 언어라는 것. 그것은 물리적인 현상이지요. 물질에 갇혀져 있는 존재인 것이지요. 많은 것들이 언어로 인해 사실 방해되는 것들이 얼마나 많은데.

"아" 라고 말했지만 "아"로 받아들여지지 않는 언어….

그녀는 텔레파시로 소통하는 참사람 부족들은 서로 눈빛으로 혹은 느낌으로 많은 것들을 공유하고, 소통에 장애 없이 모든 것들이 물 흐르듯 흐르는 것을 보게 됩니다.

그들에게 중요한 것은 생일이 아니라 얼마나 '진화했는가'이고 각자의 삶과 선택을 존중하는 태도에서 깊은 감동을 느꼈어요. 나는 오늘 또 얼마나 상대를 판단하고 있는 것은 아닌가? 내가 상대를 판단하고, 상대의 결정을 존중하지 않는다는 것은 곧 내가 나를 판단하고 나를 존중하지 않는다는 것과 같다는 것을요.

오로지 기억으로만 이 모든 역사를 기록한다는 참사람 부족들 역사라는 것, 그것은 힘을 가진 자에 의해 이렇게도 저렇게도 기억될 수 있는 것이지요. 그러나 참사람 부족들은 그 역사를 노래로서 기억함으로써 입체적으로, 전체적으로 이해한다더군요. 모두가 그 노래를 기억하고, 모두가 그 기억을 공유하는 한 누구 힘 있는 자에 의해 삭제되고, 변형될 필가 없는 것이다. 그래서 참사람 부족들은 모두가 공평하다는 것을요.

거의 아무것도 걸치지 않은 그들의 몸

피부색과 눈동자 색이 같아서 시선이
어디로 향하고 있는지 알 수 없는 그들의 얼굴
이런 그들의 외형 뒤에
깊고 깊은 영적인 세계를 가지고 있음을
저는 이전에는 알지 못했어요.
물질의 눈으로, 편견의 눈으로
그 맑음을 미처 볼 수 없었기 때문이지요.
얼마 후엔 나 자신이 그런 사람들처럼 순수해지기를 희망합
니다.

2011년 7월5일

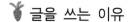 ## 글을 쓰는 이유

글을 쓰게 된 이유가 있어요.
사실 저는 사람들과 어울려 대화를 잘하지 못해요.
눈도 잘 마주치지 못하고요.
하지만 겉으로는 밝아 보이지요.
실제로도 밝은 사람이지요.
하지만 대화를 하면 항상 제가 생각지 않은 말이 튀어나오
고 발음 또한 좋지 않아
늘 우물거리는 것처럼 들립니다.

만약 잘 알지 못하는 사람과 세 사람 이상 있는 테이블에 있게 되면 두근거림이 시작되지요.
불편하고 불안해서
그 자리에 있을 수가 없는 것이지요.
왜 그런지 잘 모르는 저는
무릎을 꽉 잡고 그 시간을 견뎌내려 애쓰지요.

물론 저는 어른이기에 짐짓 아무렇지 않은 표정을 지어보지만 그렇게 힘겹게 견뎌내고 나면 집에 와서 울거나 자거나 그렇게 영혼을 달래주어야 했다. 심한 철부지라고 말해도 좋아요. 사회성이 떨어지는 편인데 그 때문에 오해를 받을 때가 많아요. 보통은 어떤 집단에 가게 되면 눈치를 살피고, 자기가 무엇을 해야 할지 깨져가면서도 하기 싫지만 그래도 분위기에 따라가고 자기를 억제하는데 저는 그게 어렵더군요.

나는 참 서툴다. '예전에는 서툴러! 나는 못해!' 하고 피해 다녔는데, 이제는 좀 하려고 노력 하고 있답니다. 안 그러면 함께 살 수 없으니까요. 그리고 저의 부족한 사회성 때문에 다른 사람들이 불편해 하는 것도 몰랐던 시절이 있어요. 이제는 조금씩 알게 되면서 '아, 내가 이기적이었구나.' '아, 내가 제 멋대로 였구나.' 하는 것을 깨달아요. 그럴 때면 왜 이리 부끄럽던지. 상상 속의 멋진 나에서 실제의 저를 보고 처음에는 괴로워했지요. 이제는 그런 못난 모습도 끌어안아 줄 만큼 조금은 성장한 것 같아요.

음, 그런 탓에 사람들과 자연스레 대화 나누는 것이 서툽니다. 그리고 여러 사람이 있는 곳에 가면 당황스럽고요. 새로운 사람과 만나야 하는 상황이 주어지면 이상하게 자신이 선택했을 때는 안 그러면서 도망치려고 하거나, 무서워하거나, 지레 겁을 먹는 자신을 발견하곤 한답니다.

그래서 글을 쓰기 시작했어요. 처음에는 저를 위한 글이었어요. 그러다 사람들에게도 다가가고 싶은 욕망이 마음속에서 일어났지요.  그래서 블로그를 시작했답니다. 문체도 바꾸어 보고 다른 블로거들이 어떻게 하는지도 살펴보고 요즘 사람들은 어떤 것에 관심을 가지는 지도 보고 이것이 내 삶에 일어난 변화라면 변화랄 수 있답니다. 아직 덜 자연스럽지만요.

사실 서로 다른 기질과 성격을 가진 사람과 마주친다고 해도 그 사람의 속마음이 나쁜 사람이 아니라는 것은 알아요.
단지 나는 어떻게 사람들과 융화를 해야 하는 법을 또 사람들이 이런저런 농담을 할 때 어떻게 받아들이는 지를 그에 대한 경험이 적어서 두려운 것이겠지요. 그런데 그런 것들이 서로 부딪칠 때 현명하게 해결하는 것 또한 힘든 일이긴 하죠. 만약에 그 사람을 사랑하지 못한다면  사랑이 없는 내 마음을 탓해야지  그 사람을 탓하면 안 되는 것을 알긴 하는데 실전에 돌입하면 돌아서는 저를 발견합니다. 사랑하게 되기까지는 시간이 걸립니다.

글을 쓰는 것. 그리고 사람들이 읽어주길 바라는 마음에 글을 쓰는 것. 그것은 개인의 사랑 표현 방법이고 세상과 소통하기 위한 노력입니다. 어떤 이는 말로 하는 것이 편하고 어떤 이는 그림으로 어떤 이는 음악으로 저는 글로 하는 것이 좀 더 편하기 이 방법을 택했답니다. 모든 것이 서툰 저의 삶은 또 여러분의 삶은 항상 ing 라고 생각해요.

바다를 좋아하는 사람이 있고 산을 좋아하는 사람이 있다. 나는 늘 바다다.

##  틀 깨기

요즘은 틀 깨는 연습을 하고 있습니다. 저는 제가 자유로운 사람이라고 착각을 하고 살았지요. 그런데 어느 순간 제가 가진 틀이 상당 하구나. 하는 것을 알게 되었어요. 예를 들면, 선생님이라면 이래야 할 것이다. 하고 머릿속으로 설정해 놓고 만약에 어떤 선생님이 제가 원하는 상이 아니면,

마음속으로 이 사람은 뭔가 아니군, 하고 비난을 하거나 하여튼 마음속으로 받아들이지를 못했죠. 제가 이상한 것은 보지 못하고 상대방이 이상하다고만 생각한 거죠.

친구관계에서도 마찬가지입니다. 내가 이렇게 하니까 상대방도 이렇게 해 줄 것이다. 혹은 친구 사이라면 이렇게 해 주는 것이면 당연한 것이 아닌가? 이런 생각을 하고 상대가 나의 기대에 따라 주지 못하면 혼자 이런 저런 생각에 드라마를 펼치지요. 저는 마음속으로 은연중에  내가 많이 알고 있다. 내가 맞다. 하는 생각을 하고 있었던 것입니다.

이제야 제가 얼마나 강한 틀을 가진지 보여주는
저와 부딪치는 사람들을 통해서
감사드립니다.
그리고 죄송합니다.

2011년 6월23일

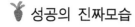 **성공의 진짜모습**

어찌보면 성공이라는 것
그것도 어떻게 보느냐에 따라 정의가
달라지겠지만
한 분야의 성취를 하고 성공했다는 것

그것도 어찌 보면 하나의 포장, 정의내림이지
중요한 것은, 성공이라는 개성으로 포장된 경험의
총합체로
그 속에서 내가 무엇을 배우고
나라는 사람이 어떻게 성장했는지가
찐 내용이다.
그러니까 성공이라는 것에
또 실패라는 것억
과도하게 집착하지 않았으면...
성공이라는 이름으로 불리우는 경험의 집합체와
실패라는 이름으로 불리우는 경험의 집합체
이름 빼고 남는 건 경험과  이를 통해
내가 깨달은 것
그것이 지혜로 바뀌는 순간,
나의 격은 차원이 바뀌는 것이다.

전날 태풍이 한 차례 휩쓸고 간 뒤에 찍은 사진. 남도 살면서 태풍을 피하기란 어려운 일이었지만 맑게 갠 하늘을 보면 가슴까지 후련해지면서 이렇게 청정한 파란 하늘을 볼 수 있었다. 얼마나 예쁘던지.

# 🌱 자유, 살아가는 이유

나에게는 마음공부를 가르쳐주던 선생님이 계셨다. "버림 공부"를 굉장히 중요하게 강조하셨던 선생님이셨다. 그 때는 버림의 의미가 고통으로만 다가왔고 무슨 의미인지 깊이 알 수가 없었기에 '내 것이 빼앗긴다' 라고만 생각했다 그때 버린다는 것이 내 것이 사라지는 것이 아니라 순환을 위해 버리고 채움의 연속인 것이 인생인 것을 알았더라면 나는 수월하게 공부를 해낼 수 있었을까? 아니면 여전히 못 알 아듣고 있다, 세월이 흐른 후 나도 그만큼의 성장을 했기에 그 의미가 비교적 선명하게 와 닿는 것일까? 너무 무지막 지하게 공부를 했기에 그만큼의 상처도 많이 남았다.

단도직입적으로 말하자면 결국 우리는 자유를 향해 자유롭기 위해 살아가고 공부하는 존재이다. 자유로운 인간을 만들어주기 위해 비움 공부를 강조하셨던 것이었다. 내가 좋아하는 철학자들도 그 당시로서는 파격적인 생각을 가졌고 단 한 사람도 정규직이 없다. 자유롭게 살다가 자유롭게 세상을 떠난 지식인들이었다. 자유롭게 살려고 하다 정규직을 놓치 않았던 허균은 당시로서는 너무 파격적인 생각이라 능지처참을 당하였다. 허균의 시를 읽으면 사상적으로 굉장히 자유롭고 순수하고 아름다운 사람이었음을 알 수 있었다. 부디 그곳에서 행복하시길.

자본주의 체제하에서 교육을 받고 생각을 당한 우리들은 너를 배운다는 것은 그것이 돈으로 치환이 된다는 것을 의미한다 시간은 곧 돈이라는 생각도 마찬가지이다 돈으로 환산하는 버릇이 있다. 돈이 아니더라도 인정받거나 물질적인 보상이 따르지 않으면 그저 순수하게 어떤 일을 한다는 개념은 없다.

현대인들은 철저하게 머리로만 살아가고 있다 그래서 몸으로 살아간다는 것에 의미를 잘 알지 못한다. 그 선두주자에 나도 있다. 그래서 아마도 연암 박지원과 친구들 그리고 임꺽정 무리들이 잘 이해가 가지 않았던 것도 있다. 밥이 나오는 것도 아니고 돈이 생기는 것도 아니고 어떤 보상이 주어지는 것도 아닌데 끊임없이 무언가를 배우고 그 배움에 집중하는 임꺽정의 친구들.

나로서는 이러한 사고 체계가 머릿속에 없었기 때문에 보상이 주어지지 않음에도 겉으로 보기에 하찮아 보이는 일이 그토록 정성을 다하여 배우는 것에 이상하단 생각이 들었다. 한편으론 존경심도 들고...선생님께서 우리들에게 주셨던 가르침을 되새겨보니 그것은 결국 기존의 가치관에서 벗어나 나만의 자연스러운 기준, 몸으로 우러나오는 삶, 그동안 사회에서 주입받았던 '이래야한다 저래야한다'는 식의 생각들을 내려놓고 자유롭게 살기를 바라셨던 것이다.

나는 얼마나 자유로워졌을까?

....

# 🐰 백수는 부지런하면 탈난다.

백수로 살아가다가 최근에 조금 무리를 했다. 백수 주제에 백수의 본분을 망각하고 부지런하게 살고자 노력했더니 몸에서 신호가 왔다. 혼자 있는 시간을 다시 가져야겠다. 본투비 백수인데 다른 사람들처럼 살려고 노력하다가 생각을 깊이 하는 버릇이 사라졌다. 생활에만 집중하다 보니 사유에는 변화가 없어진 것이다.

고독을 씹고 혼자 있고 책을 읽어야만 나는 역시 기쁨을 얻는다. 삶은 배움의 과정, 계속 배움이 펼쳐지고 내가 살아가며 배울 때만이 살 수 있게 한다. 남처럼 살려고 노력하다 보니 우울감만 커진다. 나는 백수다 백수 백수 백수 백수 백수!!!!

자기계발이나 강연자들의 이야기를 들으며 내 삶의 무엇이 문제인가를 생각하다 보니 내가 잘 못 살고 있는 것 같아 남들처럼 살려고 노력을 했다 나 역시 나한테 맞지 않는 삶이다. 진실한 것은 배움뿐이라고 빠른 속도로 여러 가지 변화가 일어나는 이 시대에 내가 가지고 가야 할 방향성은 나는 배우는 존재라는 것이다. 즉, 완성을 향해 나아가는 존재이지 완성된 존재가 아니다! 라는 것이다. 나는 열린 존재이다. 여러 가지 결점이 많지만 배우려고 한다는 점에서 나에게는 무한한 가치가 있다.

자전거를 타고 20분쯤 가면 나타나는 풍경. 여기도 숨은 바다라 사람들이 거의 오지 않았다. 이 풍경을 보면서 많은 감정과 나날을 삼켰다. 이런 시간을 많이 가졌던 것은 나에게 축복이었을까?

##  행복해지기 위해 살아갈까?

흔히 행복해지기 위해 살아간다고 한다. 아니다. 사실은 행복해지기 위해서 살아가는 것이 아니라 우리는 성장하기 위해서 살아가고 있다. 인생 자체가 인간이 삶을 통해 성장할 수 있도록 주어진 시간이며 프로그램이다. 우리는 지구에 오면서 그 전에 기억을 삭제된 채 왔기 때문에 이곳에 온 이유를 알지 못한다. 그러나 나의 영혼은 우리가 태어난 이유를 알고 있다. 어릴 때는 질문 없이 그저 살아가는 것

자체에서 기쁨을 느끼지만 사춘기를 거치면서 우리는 왜 내가 태어났을까 왜 살아가고 있을까 나는 무엇을 해야 할까 하는 질문을 하기 시작한다

이 질문들은 나에 대한 근본적인 질문이다. 비로소 내가 어린아이 상태에서 벗어나 스스로에 대해 궁금해지기 시작했다는 증거이다. 현재 우리의 삶 속에서 이러한 근본적인 질문을 할 시간은 거의 없다. 인간의 삶이란 시스템 속에서 그저 남을 따라가고 남처럼 살아가는 법을 배울 뿐이다.

내가 스스로에게 근본적인 질문을 하기 시작했다고 하면 기뻐하고 내 영혼이 그만큼 성장했다는 것을 알아야 한다. 그래서 이 질문을 놓치지 않고 끝까지 따라 가보면 그 끝에 답을 얻을 수 있을 것이다. 편안하게 안주하는 삶이 행복하다고 여기는 경향이 있다. 마음으로 물어보라 진짜 행복이 어떤 것인지. 편안하기만 하다면 사람은 권태로움에 빠지기가 쉽다.

행복한 삶이란 내가 성장한다는 기분이 들 때 마음 깊이 행복감이 차오른다. 현재 자신이 걸어가는 길이 험하게 느껴질 때에는 그만큼 내가 가야 하는 길을 단축시켜 넘기게 하려는 하늘의 뜻이 숨겨 있는 것이다. 내가 지금 걸어가는 이 길이 힘들고 괴롭다면 나는 그만큼 공부를 하고 있는 중이다.

우리가 태어난 이유는 나의 성장 즉 진화 외에는 없다 그

러므로 현재 삶 속에서 내가 마음이 괴롭고 고통스럽다면 그만큼 수업료를 지르고 있는 것이며 그 대가로는 나의 성장 과정과 진화가 기다리고 있다.

내가 태어난 이유는 두 가지로 축약된다. 자신의 과제와 선악과를 극복하여 영적인 성장을 이루기 위해서 태어났거나, 이미 어느 정도 영적인 수준이 많이 갖추어진 상태에서 타인의 영적인 성장을 돕기 위해서 태어난 경우이다. 사실 두 가지 구분이 명확하지는 않다. 처음에는 자신의 성장을 위해 살아가는 삶을 살다가 어느 정도 성장을 하면 타인의 성장을 돕는 것이 인간이라면 당연한 일이기 때문이다.

내가 생각했을 때 내 삶에 장애물이 많고 어느 것 하나 쉽게 가는 것이 없다면, 아마도 나는 지구별에서 수업을 위해 태어난 영혼일 가능성이 크다 어려운 공부를 마치고 더 큰 영적인 성장을 이루어내서 다시 고향 별로 복귀하기 위해 지구에 온 영혼인 것이다.

삶이 녹록치 않고 괴롭더라도 긍정적인 마음을 잃지 않고 나가려고 노력하는 한, 언젠가는 내가 처음에 왔을 때보다 훨씬 많은 영적 성장을 이뤄낸 자신을 발견할 수 있을 것이다.

<오늘의 생각>
1. 내가 태어난 이유는 무엇일까
2. 지금 현재 나를 두 다리로 설 수 없게 하는 것이 무엇일까?

3. 내가 지금 두려워하는 감정은 무엇일까?

## 🌷 매력적인 사람

요즘 TV 드라마를 보아도 예전에는 남자답게 생긴 것이 선호되는 외모였지만 요즘은 부드럽고 다정한 외모를 가진 남자들 그러면서도 남성성을 잃지 않은 남자들의 모습들이 투영되어 있다. 즉, 한 가지 모습만을 바랐던 과거와는 달리 요즘에는 남성성을 갖추면서도 여성적인 매력이라고 치부되었던 다정함 섬세함도 못지않게 중요해진 것이다.

근본은 상대방을 얼마나 배려하는가. 결국이 자세에서 파생되는 것. 나는 유럽이나 미국의 친구들과 한국 문화에 대해 이야기를 나누면서 처음에는 케이팝 아이돌들에 대해 그저 젊은 사람들이 혹은 학생들이 소비하는 문화라고만 생각했다. 그런데 얘기를 나누면서 알게 된 것이 한국의 아이돌들을 좋아하는 이유가 네 친구들은 20대 후반30대 40대 여성임에도 불구하고 한국의 아이돌 스타들을 좋아한다. 그들이 하는 말은 아름다우면 여성적이라고 생각하여 남성적인 매력이 약하다고 생각했다 그래서 몸이 좋고 선이 굵은 남자들을 좋아했는데 한국에 아이돌 스타들이나 드라마를 보면서 아름다우면서도 여전히 남성적인 매력이 있을 수 있다는 것을 느꼈다고 했다

물리적으로 강한 힘을 가진 남자들보다는 다정하고 자신의 이야기를 잘 들어주고 그러면서도 의지가 되는 남자들이 남

자들을 한국에 케이팝 아이돌이나 드라마에서 발견한 것 같다. 그런 의미에서 한국이 문화적으로 앞서나가고 있다고 느낀다고 했다

그 얘기를 들으면서 요즘은 뭐든지 융합의 시대이기 때문에 문화를 수출하는 우리나라에서 그런 면들을 사회적으로 빨리 보여주고 있다는 생각이 들었다. 한국은 이제 문화 수입국에서 이제는 문화 수출국이 된 것이다.

남도는 정말이지 노을맛집이다.

마을의 퇴비장이다. 음식물 쓰레기를 여기다가 놓고, 톱밥하고 EM을 섞어서 두면 훌륭한 거름이 된다.

처음 마을에 와서 가장 적응하기 어려웠던 것이 화장실이었다. 물을 안 쓰는 화장실이라 환경에는 정말 좋았지만 비위가 약했던 나는 한 동안은 고생을 좀. 하지만 나중에는 적응했고 지금은 이런 화장실이 많아져야 한다고 생각한다. 환경적인 측면에서도 물을 적게 쓰고, 또 인간의 똥이 다시 흙으로 돌아가는 것이 생태계 법칙상 아주 좋은 것이기에.


## 🥕 남자를 보는 기준이 달라진 것 같다

예전에는 남자를 볼 때 강한 남자, 카리스마, 리더쉽 이런것들이 선호되는 요소였다면, 이제는 그런 요소보다는

1. 유머러스함

2. 배려

3. 눈치

이런 요소들이 점점 사람을 빛나게 하는 요소가 되고 있다.

그것은 아마 이제는 먹고 사는 문제에서 벗어나 소통과 교감같은 것이 삶에 있어 중요한 요소가 되었기 때문일 것이다. 그만큼 사회가 발전한 것이다. 괜찮은 인간상의 요소가 얼마나 책임을 지고 경제적으로 먹여 살릴 수 있는가에서 나와 얼마나 대화가 통하는 가 사는 것을 재밌게 해줄 것인가 등등이 중요해지고 있다.

자기 객관화가 무엇보다 중요해진 시대
한 사람의 인간에게 요구되는 수준이
무척 높아졌다.
예전에는 마음공부 하는 사람들이
스스로를 객관화하고 다듬는 연습을 했다면
지금은 전 인류가 성장을 코드로
평생 발전하고 스스로를 다듬어가는 것이
일상적인 시대가 도래했다.

인간에게 있어 진정 높은 자리란 자리의 높고 낮음이 아니라 경험이 많은 자리를 의미한다. 경험이 많다는 것은 이쪽 저쪽을 보고 이해하고, 상대방의 상황을 이해한다는 것을 의미한다. 그래서 그 만큼 포용력이 커지는 것이다. 하늘의 입장에서 보았을 대 성숙한 사람이란 많은 경험으로 인해 세상을 바라보는 눈이 높고 깊고 넓은 것을 의미한다. 그래서 세상을 품을 수 있는 사람이 되는 것이다.

한쪽으로만 치우친 경험은 영의 입장에서 좋은 것은 아니라고. 그래서 극선도 나쁜 것이라고 한다. 두루두루 보고, 통할 수 있어야 합니다. 그런 사람이 되는 과정이 수련이고 우주가 되는 과정입니다. 전쟁이라는 것, 싸움, 분쟁 이런 것은 한 쪽이 멈추지 않는 한 감정의 운동성이 계속 일어나서 작용, 반작용처럼 계속 일어나면 일어났지 멈추지 않는다.

아무리 감정의 골이 깊다고는 해도, 아기들과 어린이들을 저렇게 참혹하게 죽이는 것을 보고, 종교의 이름으로 인간의 야만성을 드러내는 사건이라고 밖에 안 보여진다. 그렇게 하면 과연 신들이 좋아할까? 자신의 행동이 곧 자신의 수준이라는 것을 모르는 것일까? 지구상에 일어나는 일이라 실시간으로 뉴스를 보고 듣고 하니 영향을 받지 않을 수가 없다.

## 🌱 삶과 죽음이란

삶과 죽음이라는 것은 결국 하나의 연장선상에 있는 것으로 영원의 세계에 살다가 몸을 입는 혜택을 받아 짧은 시간 동안 지구에 나와서 삶을 사는 것인데 그 의미를 너무 모르고, 너무 무지하게 자신의 인간적 욕망만 발휘하다가 허망하게 죽는 경우를 자주 본다. 그것이 나는 마음이 아프고 안타깝다.

강의를 나가면 많은 사람들의 고민을 듣습니다. 젊은 사람들은 자기혐오, 비하 이런 감정으로 고생하는 분들이 많더라고요. 마음이 너무 아팠어요. 제가 그런 감정에 빠져서 고생을 했거든요.

저의 경우 가장 큰 원인은,
1." 완벽주의 계획주의 인간"
2. 예민함/섬세함과 "풍부한 감정"을 타고났음
3. 그리고 "모범생 컴플렉"스가 가장 큰 원인이 되었던 것 같아요.

완벽주의 - 별로 안 좋아요 버리세요. 최선을 다하라. 버리세요. ㅋㅋ 흐름대로, 자연스럽게 흘러가라! 동의합니다.
예민함 - 안 보려고 노력하세요. 사람 만나는 것 힘들다? 굳이 안 만나도 되요.
모범생 컴플렉스 - 나는 모범생 아니예요. 호구 될 뿐이예요. ㅋㅋ

그래서 항상 제 목표를 설정해 놓고 거기에 제가 부합되지 않으면 자신에게 엄청 실망을 했고 그리고 한편 여린 성격 + 모범생 컴플렉스가 있어서 타인이 그 버튼을 자극시키면 나도 모르게 그 감정에 얽매여서 상대방에게 끄달려갔던 것이지요. 이런 사람들은 겉으로는 명랑해 보여도 사실은 <관계>에서 힘을 얻는 성격이고 굉장히 여린 마음을 가진 사람들이에요. 그러면서도 착하고. 남한테 싫은 소리 잘 못하고!

아아아아~~~

나이가 들면서 이런 저런 일을 겪으면서 자신에 대해 지나친 기대는 독이 된다는 것을 알았어요. 그리고 많은 사람들을 겪고 다양한 일을 겪으니까 많은 부분들이 깎여져 나가면서 무언가 제 자신이 정제된 것 같은 느낌도 받았어요. 불필요한 부분은 떨어져나가고 정리되면서, 정말 중요한 일에는 나의 에너지와 감정을 쓰지만 나머지 부분은 조금 무뎌진 느낌? 어차피 제 특성상 보통사람보다 무뎌질 수는 없어요!


🐰 운명은 있는 것?

나도 이것이 궁금했었다.
운명이라는 것이 정해져 있다면 그것을 안다면
나는 굳이 노력하지 않고 애쓰지 않고
그냥 정해진 대로 살면 되지 않을까?
또 한 편 운명이 정해져있다면 노력이 무슨 소용이 있을까? 하고


선생님이 계셨다.
선생님은 인간이 태어날 때에는 4인자를 받고 태어난다고 했다. 그 4인자라는 것은 핵인자, 영성인자, 환경인자 그리

고 시간인자이다. 핵인자와 시간인자는 불변하는 것이다. 왜냐하면 내가 부모를 바꿀 수 없고 태어난 시간을 바꿀 수 없기 때문에 그러나 영성인자와 환경인자는 자신의 노력에 따라 거주지를 바꾸고, 영성을 높일 수 있는 것처럼 결국 인간은 정해진 것 50% 와 정해지지 않은 것 50%의 비율로 태어나는 것이었다.

##  인간이 세상에 살아가는 이유는

영혼의 진화
스스로의 내적 성장이다.
그래서 종국에는 존재 그자체인 자신과 만나는 것
그 다음에 내가 하는 일은 우주의 일원으로 존재하고
우주의 일원으로 일을 하게 된다.
그 전에는 의무, 역할, 준비단계라고 할 수 있다.
대부분의 사람들은 그러나, 스스로가 삶을 창조할 수 있다고 믿지 않고 정해진 운명에 얽매여 이번 생도 이전 생도 이후 생도 살아간다.

물론 운명이라는 것
운명의 수레바퀴라는 것을 깨는 것은 죽을각오의 노력, 각고의 노력이라고 해야 할까? 그 만큼의 노력이 필요한 것 사실이다. 수생동안 쌓아왔던 카르마, 자신이 만들어 낸 패턴을 깨는 것이 어떻게 쉽겠는가? 하지만 시작이 반이라고, 내가 마음을 생각을 달리 먹고 세상을 다르게 바라보면서,

이전의 행동 패턴을 하나씩 고쳐나가면 나는 나를 둘러싸는 업의 카르마를 깨 부수고 자유인이 될 수 있을 것이다.


실망하지 말고

포기하지 말고

나를 사랑해주면서 살아가자.

아무리 생각해도

어떤 시련이 있어도

결국은 그게 답인 것 같다.

대한민국에 한창 씨크릿 열풍이 분 적이 있다.

원하는 것을 구체적으로 상상하기만 하면

내가 원하는 것을 우주에서 '떡' 하니 선물해 줄 것이라는 그런 이야기였는데, 사람들의 마음을 흔들기 충분한 유혹적인 메시지였다. 그래도, 일말의 진리를 포함한 말이긴 하다.

자전거타고 매일 지나치는 풍경. 자연이 주는 위로가 반드시 있다.

## 🌱 끌어당김의 법칙

끌어당김의 법칙은 실제로 존재하기는 하다. 다만, 우주의 운행방식은 인간이 생각하는 것과는 많은 차이가 있다. 그리고, 원하는 것을 주되, 거기에 따른 - 를 감수하는 것 또한 인간의 몫이라는 것을 잊지 말았으면 한다.

## 🌱 우리는 모두 하늘의 자식

우리는 모두 하늘의 자식이다.
우리는 모두 신의 자식이라는 것을 잊지말자.
종종 신과 인간은 주인과 종의 관계라고 하는데
그것은 아니다, 우리는 부모와 자식관계라고 보면 맞다.

다만 부모님은 완벽한 신인데, 자식은 조금 모자란? 신과 동물의 그 사이, 그래서 점차적으로 완전한 신으로 거듭나기 위해 지구에서 빡세게 수행중이다. 그래서, 내가 원하는 것을 어떻게 소원하느냐? 하늘은 내가 원하는 것을 들어줄 준비가 되어있다. 마치 마법의 램프처럼, 이것을 원해! 라고 하면 그것을 내가 끌어당길 수는 있다는 말이다.

그러나 그 원함은 욕심을 내포한 원함이어서는 안 된다. 욕심 그 자체가 내가 원하는 것을 끌어당길 때, 분순물로 작용하여 결국은 제대로 된 결과가 나오지 않는다. 내가 원하는 것을 소원할 때에는 내가 점차 노력해서 이룰 수 있는 것인데 거기에 마음으로 간절하게 되고 싶다고 소원 (즉 기도)을 하는 것이다. 하늘의 입장에서 나의 소원이 허황되지 않고, 또 자식이 지구생활을 하면서 잘 살길 바라는 부모의 마음에서는 자식의 소원이 남을 헤치지 않는 범위 내에서는 들어주고 싶은 것이다. 내 양심의 소리를 듣고, 내가 바라는 소원이 허무맹랑 하지 않고 타인을 헤치지 않는 이기적이지 않는 것이라면

'저는 이런 것을 바래요' 라고 하늘에 소원하면 들어줄 것이다. 그러면 나는 '나는 이런 것을 바라지 않았는데요?' 하고 그 선물을 내칠 것이 아니라 무조건 감사한 마음으로 받아들이면, 그 마음으로 더욱 큰 선물이 또 내려오는 것이다.

강의를 다니면서 정말 많이 받는 질문 중 하나가, 자신이 정말 원하는 것이 무엇인지 모르겠다는 것이다. 젊은 사람은 진로에 대한 고민 때문에, 그리고 중년의 사람들은 앞으로 어떻게 살아야 하는지 모르기 때문에 물론, 근본적으로 자신이 원하는 것이 무엇인지를 찾는 방법을 알려드릴 수는 있다. 그러나, 과연 그 얘기를 듣고 그 길을 나아가려고 할까? 하는 생각이 들었다. 나도, 그 길을 걸어갔고 그 과정을 거쳐서 지금에 이르렀지만 다시 그 길을 걸어가라고 하면, 너무 너무 힘들었고 무서웠고 외로웠고 죽을 고비들도 넘겼기에, 다시 하라고 하면 솔직히 '적당히 사세요' 라고 말하고 싶다.

질문을 할 때, 사람들의 의도는 무엇인지 대충 감이 온다. 그리고 어떤 대답을 해야 기분이 좋아질지도 알겠다. 하지만, 그것은 그 사람이 '진짜' 원하는 것은 아니다. 내가 말하는 '진짜'란 영혼깊이 가슴깊이 원하는 바로 그것, 자신이 의식적으로 미처 자각하지 못하는 그 길이다.

'세상에 공짜 점심은 없다'. 라는 말이 있다.
'길(The Way)'을 걸어가는 것도 마찬가지이다.

아무것도 경험하지 않고는 내가 나의 길이라는 것을 확신할 수가 없다. 그럼에도, 조금 겁나지 않는 방법으로 살살 걸어가는 방법이 있긴 하다. 자신이 좋아하는 것이 무엇인지 알려면, 가만히 있어서는 안 된다. 세상에 나온 자신을 알아보는 기법들이 많다. 근본적인 것은 아니지만 모든 것들이 자신에 대한 일부의 진실은 알려준다.

적성검사

지문검사

사주

체질검사

혈액형

mbti 이 모든 것, 할 수 있는 것을 해 보라고 말하고 싶다. 그리고 타인과의 대화. 내가 타인과 다르다는 것을 느끼려면 타인과 대화를 해야 한다. 타인과 관계를 맺고 살아가면서 내가 어떻게 타인과 다르게 사고하고 행동하고 관계에서 나의 상대적인 강점과 약점을 느끼는 것이다.

세 번째는 여행. 여행을 하는 이유 중의 하나는, 낯선 곳에서 나를 발견하기 위함이다. 익숙한 나의 상황을 벗어나, 낯선 곳에 가서 생활을 하다보면 낯섬 속에서 나를 재발견하는 경우가 있다. 그러니까 결국 여행을 하는 이유도 나를 발견하기 위함이다. 이제까지 인생을 반추해보자. 나는 무엇을 하는 것을 좋아하고, 싫어했는지 나는 어떤 일을 했을 때 기뻤고, 잘했는지, 그런 것들을 잘 생각해 보자.

이미, 인연은 옆에 와 있다. 지구에 인간이 온 이유는 더도 말고 덜도 말고 나의 성장이다. 나의 영혼의 성장을 위해 이 고생을 하고 이 난리를 치면서 살아가는 것이다. 그런데 이왕이면 성장하면서 타인도 함께 성장할 수 있는 것에 내가 도움이 된다면 그것만큼 가치 있는 것이 없다. 아니, 사실 인간으로서 당연한, 인간으로 태어났다면 당연한 것이다. 내가 해야 하는 일, 나의 적성에 맞는 일은 나도 모르게 수많은 인연으로 이미 내 옆에 와 있을 수도 있다. 그러나 너무 평범한 모습이라 내가 그 소중함을 깨닫지 못하고 내 것이라 생각하지 못한 것일 수도 있다.

세상에와 내가 하기로 한 일은 인간의 관점처럼 의사, 수의사, 간호사 이렇게 명칭이 정해져 있고 자세한 것이 아니다. 인간을 돕는 일을 하면서 내 인생을 공부하겠다. 이렇게 큰 테두리만 정해놓고 오는 것이다. 그리고 의료분야든, 문학이든, 철학이든 자신이 역할을 할 분야를 정해놓고, 그러한 분야에 뛰어난 유전자를 가진 가족을 찾아, 부모와 약속을 하고 지구에 태어나는 것이다. 물론 지구에 태어날 때에는 그 약속과 전생의 기억을 싹 지워버리고 태어나기에 기억하지 못할 뿐! 기억을 하면, 지구에서 공부하는 데 많은 부분, 이미 공부할 부분을 컨닝한 꼴이기 위해 삭제를 한다.

사실, 사람들은 스스로를 가장 사랑한다.
자신을 연구하고
자신을 성장시키는 것만큼 즐거운 것은 없다.
내가 하는 일도 결국은 나의 인간성이든 성품이든 지식이든 그것들을 키워주는 역할을 한다는 의미에서 중요한 것이지 일 자체가 큰 의미를 지니는 것은 아니다. 이 글을 읽고 난 후, 한 번 천천히 생각해보는 시간을 가지길 바란다.
세상에 태어나 만난 가장 소중한 인연은 자기 자신이며
그 자신을 성장시키는 일이야 말로 일생일대의 프로젝트이다.

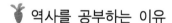 역사를 공부하는 이유

역사를 공부하면 시대를 관통하는 반복적인 흐름을 파악할 수 있다. 모든 시대, 나라를 막론하고 한 시대의 말기에는 비슷한 흐름이 발견된다. 현재 세계 여러 나라들의 상황을 바라보면, 말기는 말기라는 생각이 든다.
아니, 이것은 과학이고 확신이다.

일단, 전통적인 가치관이 뒤집힌다.

그 가치관에는 좋은 것도 있고 나쁜 것도 있다.

그래서 전 시대에 비해 사람들이 깨이는 측면도 있지만 후퇴하는 측면도 있다. 그리고, 뭐든지 과해지고, 투머치 해지고, 너무 멀리가다 못해 변태적으로 변하는 면이 있다. 다양성을 추구하게 되는 것은 좋은 데 다양성을 추구하다 못해 인간에게는 보편적 진리, 도덕 이런 것이 있는데 그 선조차 옛날 것이라며 무너뜨리고 '선'을 넘어버리는 것이다.


그러한 현상들이 왕조의 말기에 늘 있어왔다.

로마제국이 멸망한 이유

각각의 나라들이 멸망한 이유

다 비슷한 양상을 펼치며 전개된다.


그러면 다음단계에 나타나는 현상은, 쿠데타가 일어나 그 왕조를 무너뜨리고 새로운 왕조가 들어선다던가, 아니면 외부 세력이 와서 그 왕조를 무너뜨린다거나, 하다못해 자연재해가 일어나서 그 문명이 파괴된다거나 하는 일이 생긴다. 폼페이, 고대 로마제국 귀족들의 별장지, 이 곳은 환락과 쾌락의 도시였다고 한다. 문란한 성생활, 맛있는 음식을 찾아 향연, 배가 고프지 않으면서도 끊임없이 음식을 먹어대고 안되면 구토를 해서라도 또 음식을 먹는 기이한 현상, 사람을 죽이는 것조차도 귀족들의 오락으로 인정되던 시대,


어딘가 현대의 모습과 오버랩 되지 않는가?

그렇다면, 새로운 문명은 어떻게 찾아오는가? 어떻게 해야 이 시기를 슬기롭게 헤쳐나가서 새로운 문명을 만들 수 있을까? 이대로 브레이크 없이 나아간다면 인류는 자멸할 것이고 이 상황을 가감없이 자각하고 반성하여, 각성한다면 우리는 새로운 길을 창조할 수 있을 것이다.

일단, 소비를 줄이고 검소하고 건전하게 살아야 한다.

그리고 생각을 긍정적으로 해야한다.

나의 생각이 곧 현실을 창조하기 때문이다.

그런 다음에는 그것들을 구체적인 행동으로 옮겨야 한다.

가장 중요한 것은 마음을 갈고 닦는 일인데,

지난날의 카르마와 이제껏 인류가 쌓아왔던 업을 씻어내고 새롭게 거듭나야 한다.


새롭게 거듭나는 것은 새로워진다는 의미보다는

원래로 돌아간다는 의미가 있다.

원래 인간

원래 인간이 가졌던 자연스러운 감정, 의식, 양심, 도덕성 이런 것들을 회복한다는 의미가 있다. 그러니까 현 시대에 인류가 취해야할 행동은 무언가를 더한다기 보다는 무언가를 빼는 방향으로 나아가야 한다.


과도한 소비를 줄이고

과도한 경쟁을 줄이고

과도한 생산을 줄이고

과도한 평가를 줄이고

과도한 전쟁을 줄이고

과도한 외모평가를 줄이고

과도한 기술개발을 줄이고 그렇게 조금씩 원래 인간의 모습을 회복하는 가운데 조금씩 밝은 미래가 펼쳐질 것이다. 그리고 그 중심에는 한국이 있다.

맑은 날이면 훤하게 보이던 마을전경. 텃밭. 강아지.

이곳은 모두 나의 자전거길이다. 매일 아름다운 풍경을 공짜로 듬뿍 볼 수 있다는 것은 분명 축복이었지만 또래친구가 없는 이곳에서 지독하게 외로웠다. 외로움이 깊어지면 그것이 주춧돌이 되고 외로움이라는 주춧돌을 받침삼아 많은 사색과 글을 쓸 수 있었지만 사람은 역시 사람사이에 있는 것이라는 생각을 하게 했다. 많은 곳을 여행했고 서울, 강원도, 경북, 충북, 전남 이렇게 살아보았는데 전남고흥은 정말이지 뛰어난 자연풍광을 간직한 곳이었다.

커플처럼 보이지만 둘 다 수컷고양이. 지금은 다른 곳으로 입양가고 없다.

길거리출신 고양이들인데 비닐하우스에 냥냥타운을 만들어주었다. 외로운 시골생활에서 냥냥이들이 많은 위로가 되었다. 츄르를 제일 좋아한다. 치즈냥이, 고등어, 점박이, 전형적인 코리안 쇼트헤어 종들. 상자 안에 들어가는 것을 좋아했고, 각각 다른 성격으로 고양이들도 각자 개성이 있고, 성격도 다르고, 취향돈 다르단 걸 알게되었다.

커피와 모카의 다정한 한 때. 이 날은 아마 5월쯤 되었을 것이다. 바람이 살랑 불어오는 그 날, 집 앞에 앉아 우리는 바람을 느끼고 있었다. 사람이 주변에 별로 없을 때에는 풀 한포기, 나무 한 그루, 강아지의 존재감을 강하게 느낄 수 있는데, 사람만 꼭 친구하란 법은 없었다. 서로의 존재에 대해 강하게 느끼고 연결되어 있다는 느낌이 들면 그때는 자연도, 하늘도, 동물도 다 친구였다.

마을 한켠에 마련한 화덕 굴뚝. 흙으로 다양한 것을 만들었는데, 제일 기억에 남는 것이 집짓는 것이다. 선애학교 고등부에서 졸업프로젝트로 집 만들기를 해 보았는데 찰흙으로 된 블록을 차곡차곡 쌓아서 작은 집 (방 한 칸 크기)을 만들었다. 지금은 관리가 안 되어 다 허물어 내려 앉았지만 이런 경험을 통해 집이 꼭 시멘트로 짓는 것은 아니라는 것을 알게 되었다.

친구네 집 뒤뜰. 뒤뜰이랄 것도 없다. 집 뒤에 작은 연못을 파 놓고 겨울 동안 길렀던 붕어들을 방사했다. 그러자 엄청난 개체수의 개구리가 생겼다. 얼마나 울어대는지 정말 시끄러웠다. 가끔 새들도 산 짐승도 여기 와서 쉬다가곤 했다. 여름에 저렇게 모기장을 쳐 놓고 안에서 두런두런 얘기 나누고 시원한 수박이나 음료수도 마시고...

## 🥕 에필로그

서른 살이 되던 해 귀촌을 했다. 10년이 조금 넘은 이야기다. 당시 나는 국제협력 공무원으로 일하고 있을 때였다. 귀촌, 시골 살이 이런 것은 전혀 생각지도 않을 때였고, 외국에 나가면 모를까 한국에서 그것도 아주 깡 시골에 살게 될 줄은 몰랐다. 시골에 사는 기회는 우연하게 찾아왔다. 코칭과 명상을 강의하는 선배의 초대로 그가 생태마을을 준비하고 있던 폐교에 놀러갔다가 눌러앉게 된 것이다. 마을을 짓고 살면서 못다 푼 많은 이야기들이 있다. 언젠가는 책으로 풀어낼 것이다.

도시에서 태어나고 자란 내가 시골에 가서 단체로 살면서 장판까는 일부터 수십 명 분의 밥을 짓는 일, 농사일, 화목 자르는 일, 가축 기르는 일, 자연 속에서 살아 봤던 경험은 인생이라는 바다를 더욱 풍부하게 해 주었고 돈을 주고도 사지 못할 경험과 지혜를 선사해주었다. 특히 자연에 대해서는 무지했으나 그 속에서 자연이 살아있다는 것을, 어머니의 품처럼 사람들을 감싸준다는 것을, 어쩌면 신성의 표현이 자연일 수 있겠다는 생각이 들었다. 수 년간의 마을살이 끝에 이제는 각자의 길을 걸어가기로 결정했다. 비슷한 목적을 가지고 뭉치더라도 숫자가 많아지면 이전과 같은 소통을 하기 어렵고, 소통이 어려우면 구성원간의 갖가지 의혹과 추측 오해를 낳기 때문에 투명한 공동체 생활을 이어가기가 어렵다는 결론에 이르렀다.

우리는 각자의 길을 걸어가지만 이때의 경험이 헛된 것은 아니다. 한 번의 생에 이렇듯 다양한 곳에서 다양한 사람들과 어울리며 살아본 경험은 마치 3생을 한 번의 생에 산 것 같은 진한 경험을 주었고 그만큼 나는 단순한 맛이 나는 사람에서 다양한 맛이 나는, 내주는 사람이 되었을지도 모른다. 글을 쓰는 틈틈이 나를 생태마을에 입주하게 했던 그 선배를 돕고 있다. 그는 마을애서의 경험과 세계생태마을에서의 체험을 바탕으로 새로운 마을을 짓고 있는 중이다. 이번에는 온전히 자신의 경험과 생각을 녹여내 풍광이 좋은 터를 찾아 마음 맞는 사람들과 집을 짓고 있는데, 그 그림은 또 어떻게 펼쳐질까. 나도 한 풍경을 담당하고 있겠지?

스메코 마을이야기 -> https://m.blog.naver.com/totlius

스메코마을(SMECHO)은 친환경, 명상, 정신적 성장에 바탕을 둔 에너지 자립 마을을 지향합니다. 5년 정도의 공동체 마을 생활과 해외 유수 공동체 탐방과 생활 등을 통해서 알게 된 것들을 공유하고자 합니다. 그러므로 조금 새로운 라이프생활을 추구하며 그 속에 자신의 성장과 발전 그리고 그 확장을 이웃과 주변에 나누고자 합니다. 집짓기, 숙박, 다양한 프로그램을 안내하여 동참하시는 분들이 많아지기를 고대합니다.

새로운 마을공동체를 꿈꾸며 이곳에 한창 친환경 주택을 짓고 있다. 당분간 나는 공동체 마을에서는 살지 않을 예정이다. 지난 세월 간의 경험을 밖에서 풀고 싶다. 이곳은 치유와 영적인 성장을 하고 싶은 분들을 위한 공간으로 재탄생될 것이다. 움은 새로운 시작의 예고편이다.

 저자의 블로그: https://blog.naver.com/badasky

* 이 책에서 사용한 문체는 부크크 고딕체이며, 이미지는 pixabay 무료 상업이미지를 썼습니다.

여자 서른 살, 귀촌했습니다.

발  행 | 2024년 7월 1일

저  자 | 김예진

펴낸이 | 한건희

펴낸곳 | 주식회사 부크크

출판사등록 | 2014.07.15.(제2014-16호)

주  소 | 서울특별시 금천구 가산디지털1로 119 SK트윈타워 A동 305호

전  화 | 1670-8316

이메일 | info@bookk.co.kr

ISBN | 979-11-410-9118-7

www.bookk.co.kr